ELEANOR H. PORTER

Poliana

ELEANOR H. PORTER

Poliana

Ciranda Cultural

Capa
Ciranda Cultural

Tradução
João Sette Camara

Projeto gráfico de miolo e diagramação
BR75 | Luiza Aché

Revisão
BR75 | Clarisse Cintra, Fernanda Silveira e Silvia Rebello

Dados Internacionais de Catalogação na Publicação (CIP) de acordo com ISBD

P844p Porter, Eleanor H. , 1868-1920
Poliana / Eleanor H. Porter ; traduzido por João Sette Camara. - Jandira, SP : Ciranda Cultural, 2018.
208 p. ; - (Clássicos da Literatura Mundial)

ISBN: 978-85-380-8317-7

1.Literatura norte-americana. 2. Romance. I. Camara, João Sette. II. Título.

CDD 813.5
2018-72 CDU 821.111(73)-31

Elaborado por Vagner Rodolfo da Silva - CRB-8/9410

Índice para catálogo sistemático:
1.Literatura norte-americana : Romance 813.5
2.Literatura norte-americana : Romance 821.111(73)-31

1ª Edição em 2018
www.cirandacultural.com.br

Para minha prima Belle.

Sumário

Capítulo 1

Senhorita Polly

A senhorita Polly Harrington entrou na cozinha de maneira apressada naquela manhã de junho. Ela não costumava fazer movimentos apressados; na verdade, tinha orgulho da tranquilidade de seus modos. Mas hoje ela estava se apressando, realmente se apressando.

Nancy, que lavava pratos na pia, ergueu os olhos com surpresa. Fazia apenas dois meses que Nancy estava trabalhando na cozinha da senhorita Polly, mas ela já sabia que a patroa não costumava se apressar.

– Nancy!

– Sim, senhora – respondeu Nancy com alegria, sem parar de secar o jarro que estava segurando.

– Nancy – a voz da senhorita Polly soou muito severa desta vez –, quando eu estiver falando com você, gostaria que parasse de trabalhar e prestasse atenção ao que eu tenho a dizer.

Nancy ficou corada. Largou imediatamente o jarro, com o pano ainda em volta dele, o que quase fez com que o jarro caísse, e isso não contribuiu para a compostura dela.

– Sim, senhora; vou fazer isso, senhora – gaguejou, ajeitando o jarro e se virando de maneira afobada. – Estava apenas dando continuidade ao meu trabalho, pois a senhora me disse que hoje especialmente eu deveria me apressar na lavagem da louça.

A patroa franziu a sobrancelha.

– Basta, Nancy. Eu não pedi explicações. Pedi a sua atenção.

– Sim, senhora. – Nancy abafou um suspiro. Ela estava se perguntando se algum dia seria capaz de agradar aquela mulher. Nancy nunca havia "trabalhado fora" antes; mas uma mãe doente que enviuvara de repente, ficando com três crianças pequenas além de Nancy, obrigara a garota a trabalhar para ajudá-las, e ela havia ficado muito contente quando encontrou uma vaga na cozinha da mansão no alto da colina. Nancy tinha vindo de Corners, que ficava a cerca de dez quilômetros dali, e conheceu a senhorita Polly Harrington apenas como a senhora do antigo solar dos Harrington, e uma das mais ricas moradoras da cidade. Mas isso fazia dois meses. Ela agora conhecia a senhorita Polly como uma mulher austera e de rosto severo que franzia a sobrancelha se uma faca caísse tilintando no chão, ou se uma porta se batesse, mas que nunca considerava sorrir, mesmo quando as facas e portas estivessem quietas.

– Quando você terminar o trabalho da manhã, Nancy – dizia agora a senhorita Polly –, você pode arrumar o quartinho no topo das escadas do sótão e armar a cama. Varra o cômodo e limpe-o, é claro, depois que você retirar dali os baús e as caixas.

– Sim, senhora. E, por favor, onde devo guardar as coisas que eu retirar dali?

– Na frente do sótão. – A senhorita Polly hesitou, mas depois prosseguiu. – Acho que é melhor contar para você agora, Nancy. Minha sobrinha, a senhorita Poliana Whittier, vem morar comigo. Ela tem 11 anos, e vai dormir naquele quarto.

– Uma garotinha... vindo para cá, senhorita Harrington? Ah, que bom! – exclamou Nancy, pensando na alegria que eram as suas irmãs menores na sua casa em Corners.

– Bom? Bem, essa não é exatamente a palavra que eu usaria – replicou com rigor a senhorita Polly. – No entanto, pretendo fazer o melhor que eu puder, é claro. Sou uma boa mulher, assim espero. E sei o meu dever.

Nancy ficou corada.

– É claro, senhora; eu só pensei que uma garotinha por aqui talvez pudesse... alegrar as coisas para a senhora – titubeou ela.

– Obrigada – respondeu a senhora secamente. – No entanto, não posso dizer que vejo qualquer necessidade imediata disso.

– Mas é claro, a senhora... a senhora quer bem à filha de sua irmã. – Nancy se arriscou a dizer, sentindo que de algum modo ela deveria preparar as boas-vindas para essa pequena e solitária desconhecida.

A senhorita Polly ergueu o queixo com altivez.

– Bem, na verdade, Nancy, só porque aconteceu de eu ter uma irmã que foi tonta o bastante para se casar e colocar crianças desnecessárias em um mundo já cheio o bastante de gente, não consigo entender por que eu deveria particularmente *querer* ter de cuidar delas eu mesma. No entanto, como eu disse antes, espero que eu saiba o meu dever. Certifique-se de limpar as quinas, Nancy – concluiu ela, severa, à medida que saía do cômodo.

– Sim, senhora – suspirou Nancy, e pegou o jarro ainda um pouco molhado, que agora estava tão frio que teria de ser secado mais uma vez.

Em seu quarto, a senhorita Polly pegou mais uma vez a carta que havia recebido há dois dias vinda do distante povoado a oeste, e que fora uma surpresa muito desagradável para ela. A carta estava endereçada à senhorita Polly Harrington, Beldingsville, Vermont, e dizia o seguinte:

Cara senhora,

Sinto informá-la de que o reverendo John Whittier morreu há duas semanas, deixando uma criança, uma menina de 11 anos de idade. Ele não deixou quase nada além de alguns livros; pois, como a senhora sem dúvida sabe, ele era o pastor da igreja desta pequena missão, e recebia um salário exíguo.

Creio que ele era o marido de sua finada irmã, mas ele me deu a entender que o relacionamento entre as famílias não era dos melhores. No entanto, ele pensou que, em nome da memória de sua irmã, a senhora poderia querer ficar com a criança e criá-la entre os parentes dela no leste. Por isso escrevo esta carta para a senhora.

A garotinha estará pronta para partir quando a senhora receber esta carta; e, se puder tomar conta dela, ficaríamos muito gratos se a senhora pudesse escrever dizendo que ela vá de imediato, pois há um homem e sua esposa aqui que em breve irão para o leste, e eles podem levá-la até Boston e botá-la no trem para Beldingsville. É claro que avisaríamos à senhora em que dia e em que trem deve esperar Poliana.

Espero ouvir em breve notícias favoráveis da senhora.

Respeitosamente,
Jeremiah O. White.

Franzindo a sobrancelha, a senhorita Polly dobrou a carta e colocou-a de volta no envelope. Ela havia escrito uma resposta no dia anterior, dizendo que com certeza ia acolher a criança. Ela *esperava* saber exatamente qual era seu dever, por mais desagradável que fosse a tarefa.

Sentada com a carta nas mãos, seus pensamentos se voltaram para a irmã Jennie, a mãe da criança, e para a época em que Jennie, com 20 anos, insistira em se casar com o jovem pastor, apesar da oposição da família. Um homem rico havia se interessado por ela, e a família preferia ele ao pastor, mas Jennie não tinha a mesma opinião. A seu favor, o homem rico tinha mais anos e mais dinheiro, enquanto o pastor tinha apenas uma mente jovem cheia dos ideais e do entusiasmo da juventude, e um coração repleto de amor. Jennie, quem sabe de maneira natural, havia preferido essas qualidades; então, casara-se com o pastor e fora com ele para o sul na condição de esposa de um missionário nacional.

A separação havia acontecido. A senhorita Polly lembrava bem, apesar de na época ser apenas uma garota de 15 anos, a mais nova. A família havia tido pouco contato com a esposa do missionário. Para garantir algum contato, a própria Jennie escrevera, por algum tempo, e dera à sua última filha o nome de "Poliana" em homenagem às suas duas irmãs, Polly e Anna; seus outros filhos haviam morrido. Aquela havia sido a última vez em que Jennie escrevera; e alguns anos depois veio a notícia de sua morte, escrita em um bilhete curto e desconsolado pelo próprio pastor, enviada de um pequeno povoado no oeste.

Enquanto isso, o tempo não havia parado para os residentes da mansão na colina. A senhorita Polly, olhando para a grande extensão do vale abaixo da colina, pensou nas mudanças que esses 25 anos haviam causado em sua vida.

Ela agora tinha 40 anos, e estava sozinha no mundo. Pai, mãe, irmãs: todos estavam mortos. Já fazia muitos anos que ela era a única dona da casa e dos milhares em dinheiro deixados a ela por seu pai. Houve quem tivesse abertamente sentido pena de sua vida solitária, e aqueles que insistiram para que ela arrumasse um amigo ou companheiro para morar consigo; mas ela rejeitou a sua piedade e os seus conselhos. Ela não era solitária, dizia. Ela gostava de ficar sozinha. Ela preferia a tranquilidade. Mas agora…

A senhorita Polly se levantou com a sobrancelha franzida e os lábios bem cerrados. Se sentia feliz, é claro, por ser uma mulher bondosa, e pelo fato não só de saber o seu dever como por ter um caráter forte o suficiente para cumpri-lo. Mas… *Poliana*! Que nome ridículo!

Capítulo 2

O velho Tom e Nancy

No quartinho do sótão, Nancy varreu e esfregou com vigor, prestando atenção especial às quinas. Havia vezes, de fato, em que o vigor que ela imprimia ao trabalho era mais uma válvula de escape para seus sentimentos do que vontade sincera de eliminar a sujeira: Nancy, apesar de sua submissão medrosa à sua patroa, não era nenhuma santa.

– Eu… só… desejo… poder… limpar… as quinas… da… alma… dela! – balbuciou nervosamente, marcando as palavras com golpes mortais da ponta de sua vassoura. – Tem muita coisa para limpar aqui, com certeza! Que ideia colocar aquela bendita criança bem aqui em cima neste quartinho quente, e que não tem calefação no inverno, com tantos cômodos para escolher neste casarão! Crianças desnecessárias, de fato! Hum! – disparou Nancy, torcendo o pano com tanta força que os dedos doeram com o esforço. – Neste momento, não acho que *crianças* sejam a coisa mais desnecessária por aqui!

Durante algum tempo, ela trabalhou em silêncio; depois, terminada a tarefa, ela olhou com genuíno desgosto para o quartinho vazio.

– Bem, acabou… a minha parte, pelo menos – suspirou ela. – Não tem sujeira aqui... e nenhuma outra coisa também. Coitadinha! Belo lugar para botar uma criança solitária com saudades de casa! – concluiu ela, saindo do quarto e batendo a porta com força. – Oh! – ela deixou escapar, mordendo o lábio. Depois, disse obstinada: – Bem, eu não me importo. Espero que ela tenha escutado a batida!

No jardim naquela tarde, Nancy tirou alguns minutos para conversar com o velho Tom, que capinava e cavava as trilhas do lugar fazia incontáveis anos.

– Senhor Tom – começou Nancy, olhando de relance por sob o ombro para se certificar de que ela não estava sendo observada. – O senhor sabia que tem uma garotinha vindo morar aqui com a senhorita Polly?

– O quê? – indagou o velho enquanto endireitava a coluna encurvada, com dificuldade.

– Uma garotinha... para morar com a senhorita Polly.

– Pare de fazer piadas – disse Tom, incrédulo. – Por que não me diz que o sol vai se pôr no leste amanhã?

– Mas é verdade. Ela mesma me disse. – Nancy garantiu. – É a sobrinha dela; e ela tem 11 anos.

O homem ficou boquiaberto.

– Gente! Será que... – balbuciou ele; depois, um brilho suave se estampou em seus olhos pálidos. – Não pode ser... mas deve ser... a filhinha da senhorita Jennie! Nenhuma das outras se casou. Então, Nancy, deve ser a filhinha da senhorita Jennie. Deus seja louvado! Jamais imaginei que meus velhos olhos veriam isso!

– Quem era a senhorita Jennie?

– Ela era um anjo vindo direto do céu – sussurrou o homem com fervor. – Mas o patrão e a patroa antigos a conheciam como a sua filha mais velha. Ela tinha 20 anos quando se casou, e foi embora daqui faz muito tempo. Todas as crianças dela morreram, ouvi falar, exceto pela última; e deve ser esta que está vindo morar aqui.

– Ela tem 11 anos.

– Sim, deve ter mesmo essa idade – concordou o homem.

– E ela vai dormir no sótão... que vergonha! – resmungou Nancy olhando mais uma vez por sobre o ombro para a casa atrás dela.

O velho Tom franziu a sobrancelha. Logo em seguida, um sorriso curioso encurvou seus lábios.

– Fico imaginando o que a senhorita Polly vai fazer com uma criança em casa – disse ele.

– Hum! Bem, e eu fico imaginando o que uma criança vai fazer com a senhorita Polly em casa! – retrucou Nancy.

O velho riu.

– Acho que você não gosta da senhorita Polly – comentou ele, escancarando os dentes.

– Como se alguém pudesse gostar dela! – desdenhou Nancy.

O velho Tom deu um sorriso estranho. Ele se encurvou e voltou a trabalhar.

– Acho que talvez você não saiba sobre o caso amoroso da senhorita Polly – comentou ele devagar.

– Caso amoroso… *Ela*? Não!... e acho que ninguém mais saiba tampouco.

– Ah, sabem sim – falou o velho balançando a cabeça. – Ele ainda é vivo... e mora nesta cidade.

– Quem é ele?

– Isso eu não vou contar. Não é de bom tom que eu conte. – O velho se empertigou. Em seus pálidos olhos azuis, à medida que ele olhava para a casa, estampava-se o orgulho sincero pela família que o criado leal havia servido e amado por muitos anos.

– Mas não parece possível… ela com um amante – insistiu Nancy.

O velho Tom balançou a cabeça.

– Você não conheceu a senhorita Polly como eu – argumentou ele. – Ela era muito bonita... e ainda seria, se ela se permitisse.

– Bonita? A senhorita Polly?

– Sim. Se ela soltasse aqueles cabelos presos como antigamente, e usasse aquelas capotas decoradas com ramalhetes de flores, e aqueles vestidos brancos de renda, você veria como ela ficaria bonita! A senhorita Polly não é velha, Nancy.

– Não é mesmo? Caso ela não seja, finge muito bem! – disse Nancy com desdém.

– Sim, eu sei. Isso começou naquela época... na época em que ela brigou com o namorado – comentou o velho Tom concordando com a cabeça. – E parece que desde então ela só se alimenta de amargura e espinhos... ela é bem amarga e espinhosa de se lidar.

– Eu é que sei – afirmou indignada Nancy. – Não há jeito de agradá-la, não há maneira, não importa o quanto se tente! Eu já teria ido embora, não fosse pelo salário e pelos meus parentes em casa, que precisam dele. Mas algum dia... algum dia eu vou explodir; e, quando isso acontecer, vou embora daqui. Vou mesmo.

O velho Tom concordou com a cabeça.

– Eu sei. Já senti a mesma coisa. É natural... mas é melhor não sentir isso, minha filha; é melhor não. Acredite em mim, é melhor que não. – E ele tornou a encurvar a velha cabeça na direção do trabalho diante de si.

– Nancy! – chamou uma voz aguda.

– S-sim, senhora – gaguejou Nancy, e voltou apressada para a casa.

Capítulo 3

A chegada de Poliana

No tempo esperado, veio o telegrama que anunciava que Poliana chegaria em Beldingsville no dia seguinte, 25 de junho, às quatro horas da tarde. A senhorita Polly leu o telegrama, franziu a sobrancelha e depois subiu as escadas para o quarto do sótão. Ela ainda fazia isso enquanto olhava à sua volta.

O quarto continha uma cama pequena e bem-arrumada, duas cadeiras de encosto reto, um lavatório, uma cômoda - sem espelho - e uma mesinha. Não havia cortinas nas janelas da mansarda, nem quadros na parede. Durante o dia todo o sol havia batido no telhado, e o quartinho era como um forno. Como não havia telas, as janelas haviam permanecido fechadas. Uma mosca enorme estava zumbindo raivosamente em direção a uma das janelas, voando de cima para baixo, de cima para baixo, tentando sair.

A senhorita Polly matou a mosca e atirou-a pela janela (abrindo-a apenas alguns centímetros para isso), endireitou uma cadeira, voltou a franzir a sobrancelha e saiu do quarto.

– Nancy – disse ela alguns minutos mais tarde, na porta da cozinha. – Encontrei uma mosca lá em cima, no quarto da senhorita Poliana. A janela deve ter ficado aberta em algum momento. Já encomendei telas, mas até que elas cheguem, espero que você se certifique de que as janelas permaneçam fechadas. Minha sobrinha chega amanhã às quatro da tarde. Gostaria que você fosse buscá-la na estação. O Timothy vai levar você até lá de charrete. O telegrama diz: "Cabelos claros, vestido de xadrez *vichy* vermelho, chapéu de palha." É tudo o que sei, mas acho que será o suficiente.

– Sim, senhora; mas... a senhora...

A senhorita Polly claramente entendeu o motivo da pausa, porque franziu a sobrancelha e disse, seca:

– Não, eu não irei. Não é necessário que eu vá, eu acho. É só isso. – Ela se virou e foi embora: as providências da senhorita Polly para garantir o conforto de sua sobrinha Poliana já haviam sido tomadas.

Na cozinha, Nancy apertou com força o ferro contra o pano de prato que ela passava.

– "Cabelos claros, vestido de xadrez *vichy* vermelho, chapéu de palha": de fato, é tudo o que ela sabe! Bem, eu teria vergonha de admitir que eu iria, eu iria... e sendo ela a minha única sobrinha, vindo para cá depois de atravessar o continente!

Às 15h40 do dia seguinte, Timothy e Nancy foram de charrete para encontrar a convidada. Timothy era filho do velho Tom. Às vezes diziam na cidade que, se o velho Tom era o braço direito da senhorita Polly, Timothy era o esquerdo.

Timothy era um jovem de temperamento doce, além de ser bonito. Apesar de fazer pouco tempo que Nancy estava trabalhando na casa, ela e Timothy já eram bons amigos. Hoje, no entanto, Nancy estava absorta demais em sua missão para ser a tagarela de sempre, e foi quase em silêncio que ela foi até a estação e desceu da charrete para esperar o trem.

Ela ficou repetindo em sua mente as palavras "cabelos claros, vestido de xadrez *vichy* vermelho, chapéu de palha". Uma e outra vez ela ficou imaginando que tipo de criança seria essa Poliana.

– Espero pelo bem dela que ela seja quieta e sensata, e não deixe cair facas ou bata portas com força – suspirou ela para Timothy, que havia caminhado até onde ela estava.

– Bem, se ela não for assim, ninguém sabe o que será do resto de nós. – Timothy riu de escárnio. – Imagine a senhorita Polly com uma criança *barulhenta*! Meu Deus! O trem está apitando!

– Ai, Timothy, eu... eu acho que foi maldade dela me mandar vir buscar a menina – tagarelou uma Nancy subitamente assustada, enquanto se virava e se apressava em direção a um ponto em que poderia ver melhor os passageiros que saíam do trem naquela pequena estação.

Nancy não demorou muito a vê-la: a garotinha magra usando o vestido de xadrez *vichy* vermelho, com duas grossas tranças loiras caindo pelas costas. Sob o chapéu de palha, um rostinho ansioso e sardento se virava para a direita e para a esquerda, aparentando procurar alguém.

Nancy reconheceu a menina de saída, mas demorou algum tempo para poder controlar o tremor das pernas o bastante para se aproximar dela. A garotinha estava de pé, sozinha, quando Nancy por fim a abordou.

– A senhorita é a senhorita... Poliana? – gaguejou ela. No instante seguinte, ela se sentiu um tanto sufocada pelo abraço apertado de dois braços trajando xadrez *vichy*.

– Ah, estou muito contente, *contente*, *contente* em ver a senhora – gritou uma voz ansiosa no ouvido de Nancy. – É claro que sou Poliana, e estou muito contente pela senhora ter vindo me buscar! Eu esperava mesmo que viesse.

– É... mesmo? – gaguejou Nancy de maneira vaga, se perguntando como Poliana poderia ter sabido quem ela é, e desejado sua presença. – É... mesmo? – repetiu ela enquanto tentava ajeitar o chapéu.

– Ah, sim. E durante todo o caminho até aqui fiquei imaginando como seria a senhora – gritou a garotinha enquanto dançava nas pontas dos pés e examinava com os olhos de cima a baixo uma envergonhada Nancy. – E agora que sei como a senhora é, fico feliz que tenha a aparência que tem.

Naquele momento, Nancy se sentiu aliviada por Timothy ter vindo com ela. As palavras de Poliana haviam sido muito confusas.

– Este é Timothy. Talvez a senhorita tenha algum baú – gaguejou ela.

– Sim, tenho – concordou Poliana com importância. – Tenho um novinho. As senhoras da Sociedade Auxiliadora Feminina compraram-no para mim; e foi muito gentil da parte delas, principalmente porque elas queriam comprar um tapete! É claro que não sei quantos metros de tapete vermelho é possível comprar pelo preço de um baú, mas de qualquer forma, deve dar para comprar alguns metros, talvez o bastante para cobrir meio corredor, não acha? Tenho uma coisinha aqui na minha bolsa que o senhor Gray disse que era um tíquete, e que eu deveria entregá-lo à senhora antes que eu pudesse pegar o meu baú. O senhor Gray é o marido da senhora Gray. Eles são primos da esposa do diácono Carr. Eu vim do leste com eles, e eles são muito simpáticos! E... aqui está ele – concluiu ela mostrando o tíquete depois de muito procurá-lo dentro da bolsa.

Nancy respirou fundo. De modo instintivo sentiu que alguém precisava respirar fundo depois daquele discurso. Depois, olhou de soslaio para Timothy, que desviou os olhos de propósito.

Por fim, os três subiram na charrete, com o baú de Poliana na parte de trás e com a própria Poliana acomodada confortavelmente entre Nancy e Timothy. Enquanto a charrete não saía, a garotinha fazia infinitos comentários e perguntas, até que a Nancy, um pouco tonta, se viu sem fôlego, tentando acompanhar a garota.

– Olhe só! Isso não é lindo? É longe? Espero que sim, pois adoro andar de charrete – suspirou Poliana à medida que as rodas da charrete começaram a girar. – É claro que, se não for longe, não vou me importar, pois ficarei contente de chegar lá o mais cedo possível, sabe? Que rua linda! Eu sabia que seria linda; o papai me contou...

Um soluço engasgado a fez parar de falar. Nancy, olhando para ela de maneira apreensiva, viu que o queixinho dela tremia, e que seus olhos estavam rasos d'água. Em um instante, no entanto, ela se recompôs, corajosamente erguendo a cabeça.

– O papai me falou de tudo. Ele lembrava. E... e eu deveria ter explicado antes. A senhora Gray me disse para explicar logo sobre este vestido de xadrez *vichy*, sabe, e por que não estou vestindo preto. Ela me disse que a senhora acharia isso estranho. Mas não havia roupas pretas no último pacote de doações dos missionários, apenas um corpete feminino de veludo que a esposa do diácono Carr disse que não era nem um pouco apropriado para mim; além disso, ele tinha manchas brancas nos cotovelos e em outros lugares, pois estava gasto. Uma parte da Sociedade Auxiliadora Feminina queria comprar para mim um vestido e chapéu pretos, mas outra parte pensava que o dinheiro deveria ser gasto no tapete vermelho que eles queriam comprar para a igreja, sabe?

A senhora White disse que talvez fosse até melhor assim, pois ela não gosta de crianças vestidas de preto, quero dizer, ela gosta de crianças, só não gosta da roupa preta nelas.

Poliana fez uma pausa para respirar e Nancy conseguiu gaguejar:

– Bem, tenho certeza de que... de que não haverá problemas.

– Fico contente que a senhora ache isso. Eu também penso assim. – Poliana concordou com a cabeça, e voltou a engasgar com um pequeno soluço. – E é claro que seria muito mais difícil ficar contente usando uma roupa preta...

– Contente! – disse Nancy com a voz entrecortada, tão surpresa que teve de interromper a garota.

– Sim, pelo fato de o papai ter ido para o céu para ficar com a mamãe e o resto da família, sabe? Ele disse que eu deveria ficar contente. Mas tem sido muito difícil fazer... fazer isso, até mesmo vestindo xadrez *vichy* vermelho, porque eu... eu gostava muito dele; e não podia evitar sentir que eu *deveria* tê-lo junto a mim, principalmente porque a mamãe e os outros já estão na companhia de Deus e dos anjos, enquanto eu não tenho ninguém além das senhoras da Sociedade Auxiliadora Feminina. Mas agora estou certa de que as coisas serão mais fáceis porque tenho a senhora, tia Polly. Estou muito contente por ter a senhora!

A compaixão doída que Nancy nutria pela coitadinha abandonada ao seu lado de súbito se transformou em pavor.

– Ah, mas... mas você cometeu um erro grave, q-querida – gaguejou ela. – Eu sou apenas a Nancy. Eu não sou sua tia Polly, de jeito nenhum!

– A senhora... a senhora não *é*? – gaguejou desalentada a garotinha.

– Não. Sou apenas a Nancy. Nunca imaginei que a senhorita me confundiria com ela. Nós... nós não somos nem um pouco parecidas, não somos mesmo!

Timothy abafou uma risada de leve; mas Nancy estava perturbada demais para reagir ao brilho de felicidade nos olhos dele.

– Mas quem *é* a senhora? – indagou Poliana. – A senhora se parece um pouco com as senhoras da Sociedade Auxiliadora Feminina!

Timothy não conteve o riso dessa vez.

– Sou Nancy, a empregada. Faço todo o trabalho doméstico, exceto lavar e passar a roupa. A senhora Durgin é quem faz isso.

– Mas a tia Polly *existe*, não? – perguntou ansiosa a menina.

– Pode apostar sua vida que sim – intrometeu-se Timothy.

Poliana ficou visivelmente mais calma.

– Ah, está tudo certo, então. – Fez-se um momento de silêncio, e em seguida ela prosseguiu, alegre. – E sabe do que mais? Fico contente que, no fim das contas, ela não tenha vindo me buscar; porque agora, além de já ter conhecido vocês, ainda vou conhecê-la.

Nancy ficou corada. Timothy se virou para ela com um sorriso de perplexidade.

– Eu diria que este foi um belo elogio – disse ele. – Por que você não agradece à senhorita?

– Eu... eu estava pensando na... senhorita Polly – titubeou Nancy.

Poliana suspirou com satisfação.

– Eu também. Estou muito interessada nela. Sabe que ela é a única tia que eu tenho, e eu não soube da existência dela por muito tempo. Depois, papai me falou dela. Ele disse que ela morava em um casarão bem no topo de uma colina.

– Ela mora sim. A senhorita pode vê-lo agora – disse Nancy. – É aquela mansão branca com persianas verdes bem lá na frente.

– Oh, que linda! E quantas árvores e gramados há em volta dela! Nunca vi tanta grama verde de uma vez só, eu acho. Minha tia Polly é rica, Nancy?

– Sim, senhorita.

– Fico muito contente. Deve ser maravilhoso ter muito dinheiro. Nunca conheci ninguém que tivesse, exceto os White, que eram relativamente ricos. Eles têm tapetes em todos os cômodos da casa, e tomam sorvete aos domingos. Na casa da tia Polly é servido sorvete aos domingos?

Nancy balançou a cabeça em negativa. Seus lábios tremeram. Ela lançou um olhar de alegria nos olhos de Timothy.

– Não, senhorita. Sua tia não gosta de sorvete, eu acho; pelo menos eu nunca vi sorvete na mesa de jantar dela.

Poliana fechou a cara.

– Ah, não? Sinto muito! Não sei como ela consegue não gostar de sorvete. Mas, qualquer forma, fico contente por isso, pois o sorvete que você não come não pode lhe dar dor de estômago, como o sorvete da senhora White... quer dizer, eu comi o sorvete dela, sabe, e bastante. Apesar disso, talvez a tia Polly tenha tapetes.

– Sim, ela tem tapetes.

– Em todos os cômodos?

– Bem, em quase todos os cômodos – respondeu Nancy de repente, fazendo cara feia ao pensar naquele quartinho vazio do sótão em que não havia tapete.

– Ai, fico muito contente – exultou Poliana. – Adoro tapetes. Nós não tínhamos nenhum, apenas dois tapetinhos que vieram em um dos pacotes de doações dos missionários, e um deles estava manchado de tinta. A senhora White tinha quadros também, muito lindos, de rosas, de garotinhas se ajoelhando, de um gatinho e algumas ovelhas e um leão... não juntos, sabe, as ovelhas e o leão. Ah, é claro que a Bíblia diz que um dia eles vão viver em harmonia, mas eles ainda não vivem, quero dizer, pelo menos não os da senhora White. Você também não ama quadros?

– Eu... eu não sei – respondeu Nancy com uma voz um tanto abafada.

– Pois eu sim. Nós não tínhamos nenhum quadro. Eles não costumam vir nos pacotes de doações, sabe. Apesar disso, certa vez vieram dois. Mas um deles estava em tão bom estado que o papai o vendeu para conseguir dinheiro para comprar sapatos para mim; e o outro estava em tão mau estado que se despedaçou assim que o penduramos. Era de vidro e se quebrou, sabe? E eu chorei. Mas agora fico contente por não termos tido nenhuma dessas coisas finas, pois assim vou gostar ainda mais das da tia Polly, visto que não estou acostumada a elas. Assim como fico feliz quando encontro laçarotes de cabelo *bonitos* nos pacotes de doação depois de encontrar muitos laçarotes marrons desbotados. Meu Deus! Que casa linda, não? – exclamou ela com ardor à medida que eles fizeram uma curva e chegaram à larga entrada para carruagens da casa.

Quando Timothy estava descarregando o baú da charrete, Nancy encontrou uma oportunidade para murmurar baixinho em seu ouvido:

– Nunca mais me fale em ir embora, Timothy Durgin. Você não conseguiria me pagar para ir embora daqui agora!

– Ir embora? Longe de mim. – O jovem escancarou um sorriso. – Você não poderia me tirar daqui nem arrastada. Agora vai ser mais divertido do que as sessões de cinema com essa criança por aqui todos os dias!

– Divertido! Divertido! – repetiu Nancy indignada. – E acho que vai ser mais divertido ainda para essa bendita criança quando elas duas tentarem morar juntas; e imagino que ela vai precisar de algum porto seguro em que possa se refugiar. Bem, eu vou ser esse porto seguro, Timothy; vou sim, vou sim! – jurou ela enquanto se virava e conduzia Poliana pelos largos degraus.

Capítulo 4

O quartinho do sótão

A senhorita Polly Harrington não se levantou para cumprimentar a sobrinha. Ela ergueu os olhos do livro que estava lendo, é verdade, à medida que Nancy e a garotinha apareceram na porta da sala de estar, e estendeu uma das mãos, a qual tinha a palavra "dever" estampada em cada um dos dedos friamente estendidos.

– Como vai, Poliana? Eu… – Ela não teve chance de dizer mais nada. Poliana, já tinha praticamente voado pelo cômodo e se jogado no colo rígido de sua escandalizada tia.

– Ah, tia Polly, tia Polly, Não sei como ficar contente o bastante por ter me deixado morar com a senhora. – Ela estava soluçando de choro. – Não sabe como é maravilhoso ter a senhora e a Nancy e tudo isto depois de apenas poder contar com a Sociedade Auxiliadora Feminina!

– É bem provável… entretanto, eu não tive o prazer de conhecer a Sociedade Auxiliadora Feminina – retrucou a senhorita Polly com severidade, tentando se desvencilhar dos dedinhos que a agarravam e franzindo a sobrancelha para Nancy, que estava à porta. – Nancy, está tudo bem. Pode sair. Poliana, tenha a bondade, por favor, de ficar de pé com a coluna reta. Ainda não pude olhar direito para você.

Poliana se afastou rápido, rindo um tanto histericamente.

– Não, acho que a senhora não pôde me olhar direito; mas repare que eu não sou lá muito bonita por causa das sardas. Oh, e eu deveria esclarecer sobre o vestido de xadrez *vichy* vermelho e o corpete de veludo preto com manchas brancas nos ombros. Contei à Nancy como o papai disse que…

– Sim; bem, não se importe com o que o seu pai disse – interrompeu a senhorita Polly com secura. – Você trouxe um baú, eu suponho?

– Ah, sim, de fato, tia Polly. Tenho um baú lindo que ganhei da Sociedade Auxiliadora Feminina. Não guardo muitas coisas dentro dele... coisas que me pertencem, quero dizer. Os pacotes de doações não têm vindo com muitas roupas para garotinhas nos últimos tempos; mas trago no baú todos os livros do papai, e a senhora White disse que ela achava que eu deveria ficar com eles. Sabe, o papai...

– Poliana – interrompeu bruscamente a tia outra vez –, há uma coisa que talvez seria melhor que você entendesse logo de saída: não quero que você fique falando do seu pai para mim.

A garotinha respirou, trêmula.

– Mas, tia Polly, a senhora... a senhora quer dizer que... – hesitou ela, e a tia preencheu a pausa.

– Agora vamos subir até o seu quarto. Seu baú já está lá, eu suponho. Mandei o Timothy levá-lo lá para cima, caso você tivesse trazido um. Pode me acompanhar, Poliana.

Sem abrir a boca, Poliana se virou e acompanhou a tia para fora da sala. Seus olhos estavam rasos d'água, mas seu queixo estava corajosamente erguido.

"No fim das contas, eu... eu fico contente que ela não queira que eu fique falando do papai", pensou Poliana. "Assim vai ser mais fácil, talvez... se eu não falar dele. De qualquer maneira, talvez tenha sido por isso que ela me pediu para não falar dele." E Poliana, mais uma vez convencida da "bondade" de sua tia, espantou as lágrimas e olhou ansiosa à sua volta.

Ela estava na escada agora. Logo à sua frente, a saia de seda preta de sua tia balançava suntuosamente. Atrás dela, uma porta aberta permitia o vislumbre de tapetes tingidos de cores claras e cadeiras forradas com cetim. Sob seus pés havia um tapete maravilhoso que mais parecia musgo verde quando se andava sobre ele. Por todos os lados, as molduras banhadas a ouro dos quadros e o brilho da luz do sol atravessando a trama das cortinas de renda atingia seus olhos.

– Ah, tia Polly, tia Polly – suspirou extasiada a garotinha. – Que casa maravilhosa, maravilhosa! A senhora deve se sentir muito feliz por ser tão rica!

– Poliana! – rebateu a tia, virando-se bruscamente à medida que atingiu o topo das escadas. – Muito me surpreende ouvir você... falar comigo desse modo!

– Por que, tia Polly, a senhora *não se sente* muito feliz? – indagou Poliana com uma surpresa sincera.

– Claro que não, Poliana. Espero que eu jamais chegue ao ponto de me perder tanto que cometeria o pecado de me orgulhar de qualquer prenda que o Senhor tenha me concedido – declarou a senhora. – Jamais me orgulharia de *riquezas*!

A senhorita Polly se virou e caminhou pelo corredor em direção à porta da escada do sótão. Agora ela se sentia feliz por haver instalado a criança no quarto do sótão. A princípio, a ideia dela era manter a sobrinha o mais longe possível de si e, ao mesmo tempo, colocá-la em um lugar em que a imprudência infantil dela não destruiria móveis de valor. Agora, com esse traço de vaidade se manifestando assim tão cedo, era melhor ainda que o quarto destinado a ela fosse simples e modesto, pensou a senhorita Polly.

Os pezinhos de Poliana seguiam ansiosos os passos da tia. De modo ainda mais ansioso, seus grandes olhos azuis tentavam olhar em todas as direções ao mesmo tempo, para que nada de belo ou interessante naquela casa maravilhosa pudesse passar despercebido. Mais ansiosos ainda estavam seus pensamentos, que se voltaram para a questão maravilhosamente empolgante que ainda seria solucionada: atrás de qual dessas portas fascinantes estava seu quarto, o querido e lindo quarto repleto de cortinas, tapetes e quadros que seria o quarto dela? Depois, de súbito, sua tia abriu uma porta e subiu mais um lance de escadas.

Não havia muito o que ver ali. Paredes lisas se erguiam de todos os lados. No topo das escadas, grandes espaços sombrios conduziam a cantos distantes em que o telhado quase atingia o chão, e onde estavam empilhados incontáveis baús e caixas. Além disso, o lugar era quente e abafado. De maneira instintiva, Poliana ergueu a cabeça, pois parecia difícil de respirar ali. Em seguida, reparou que a tia havia aberto uma porta à direita.

– Pronto, Poliana, este é o seu quarto, e aqui está o seu baú, posso ver. Você já tem a sua chave?

Poliana concordou com a cabeça sem dizer uma palavra. Seus olhos estavam um tanto arregalados e amedrontados.

Sua tia franziu a sobrancelha.

– Quando eu lhe fizer uma pergunta, Poliana, prefiro que você me responda em voz alta, e não que simplesmente faça movimentos com a cabeça.

– Sim, tia Polly.

– Obrigada; assim é melhor. Acho que você tem tudo de que precisa aqui – acrescentou ela, olhando de soslaio para o toalheiro e o jarro de água, que estavam bem cheios. – Vou mandar a Nancy subir aqui para lhe ajudar a desfazer as malas. O jantar é às seis da tarde – concluiu ela, e depois saiu do quarto e desceu as escadas.

Por um instante, depois que ela já tinha ido, Poliana ficou imóvel, olhando para a direção em que a tia tinha saído. Depois, voltou seus olhos arregalados para a parede nua, o chão sem tapetes e as janelas sem cortinas. Depois, voltou os olhos por último para o pequeno baú que pouco tempo antes ficava no seu quartinho da longínqua casa do oeste. No instante seguinte, cambaleou em direção ao baú, caiu de joelhos ao lado dele e cobriu o rosto com as mãos.

Nancy a encontrou ali quando subiu alguns minutos mais tarde.

– Calma, calma, pobrezinha – cantarolou ela, sentando-se no chão e acalentando a garotinha. – Eu estava imaginando que a encontraria desse jeito.

Poliana balançou a cabeça.

– Mas eu sou má e perversa, Nancy... perversa demais – soluçou ela. – Eu simplesmente não consigo enfiar na cabeça que Deus e os anjos precisavam mais do papai do que eu.

– Nem mais, nem menos – afirmou Nancy com determinação.

– Oh-h, *Nancy*! – O pavor intenso nos olhos de Poliana secou as lágrimas.

Nancy deu um sorriso tímido e enxugou os próprios olhos com força.

– Calma, calma, criança, eu não falei por querer, é claro. – Ela chorou por um instante. – Venha, me dê a sua chave e vamos abrir o baú e tirar dele seus vestidos já, já.

Ainda um tanto chorosa, Poliana pegou a chave.

– De qualquer modo, não há muitos vestidos no baú – disse ela com a voz embargada.

– Então, vamos acabar de desfazer essa mala bem rápido – afirmou Nancy.

Poliana de súbito estampou um sorriso radiante.

– É verdade! Posso ficar contente por isso, não? – gritou ela.

Nancy arregalou os olhos.

– Mas... é claro que sim – respondeu ela um tanto hesitante.

As mãos hábeis de Nancy tiraram com rapidez do baú os livros, as roupas íntimas remendadas e os poucos vestidos, que eram muito sem graça. Poliana, sorrindo bravamente agora, percorreu o quarto, pendurando os vestidos no *closet*, empilhando os livros na mesa e guardando as roupas íntimas nas gavetas da cômoda.

– Tenho certeza... de que este quarto vai ficar muito bonito. Você não acha? – gaguejou ela depois de um tempo.

Não houve resposta. Nancy aparentava estar muito ocupada, com a cabeça dentro do baú. Poliana, de pé ao lado da cômoda, ficou encarando com um pouco de tristeza a parede nua.

– E também posso ficar contente porque aqui não há espelhos; onde *não há* espelhos eu não posso ver as minhas sardas.

Nancy fez um estranho som com a boca, mas quando Poliana se virou, a cabeça dela estava dentro do baú outra vez. Alguns minutos depois, de uma das janelas, Poliana deu um grito de alegria e bateu palmas efusivamente.

– Oh, Nancy, eu não tinha visto isso antes – sussurrou ela. – Olhe... lá longe, aquelas árvores, e as casas, e aquela linda cúspide da torre da igreja, e o rio brilhando como se fosse de prata. Ai, Nancy, ninguém precisa de quadros com esta vista. Ah, estou muito contente agora por ela ter me deixado ficar neste quarto!

Nancy de repente começou a chorar, o que deixou Poliana surpresa e consternada. A menina se apressou para ficar ao lado de Nancy.

– Mas, Nancy... o que houve? – gritou ela, e, depois, receosa, perguntou: – Este não era... O *seu* quarto, era?

– Meu quarto?! – exclamou Nancy com raiva, engolindo o choro. – Você é um anjinho caído do céu, e se algumas pessoas não pagarem caro antes... Oh, desgraça! A campainha dela! – Depois deste discurso incrível, Nancy pulou de pé, saiu correndo do quarto e desceu as escadas atabalhoadamente.

Sozinha, Poliana se voltou para o seu "quadro", que é como ela havia categorizado na cabeça a linda vista da janela. Depois de certo tempo, ela tocou de maneira hesitante na esquadria. Parecia que ela já não podia suportar o calor sufocante. Para sua alegria, a esquadria se moveu sob seus dedos. No instante seguinte, a janela estava escancarada, e Poliana estava debruçada nela, absorvendo o ar fresco e doce.

Depois, correu para a outra janela, que, assim como a primeira, logo se escancarou pelas mãos ansiosas da garota. Uma mosca enorme passou voando pelo seu nariz, e zumbiu alto pelo quarto. Depois, veio outra, e mais outra; mas Poliana não se importou. Ela havia feito uma descoberta maravilhosa: de frente para esta janela uma árvore enorme estendia grandes galhos. Para Poliana, eles pareciam braços abertos, convidativos. De repente, ela riu alto.

– Acho que eu consigo – riu ela entre os dentes. No instante seguinte, ela já havia agilmente subido no parapeito da janela. Dali era fácil dar um passo e alcançar o galho mais próximo. Depois, pendurada como um macaco, pulou de galho em galho até atingir o mais baixo deles. A descida até o chão, mesmo para Poliana, que estava acostumada a trepar em árvores, deu um pouco de medo. Apesar disso, ela encarou a queda, prendendo a respiração, balançando os pequenos e fortes braços e caindo de quatro na grama macia. Depois, ela se levantou e olhou ansiosa à sua volta.

Ela estava nos fundos da casa. Diante dela havia um jardim em que trabalhava um homem encurvado. Além do jardim, uma pequena trilha por um campo aberto conduzia a uma colina íngreme, no topo da qual havia um solitário pinheiro montando guarda ao lado de uma enorme pedra. Para Poliana, naquele momento, parecia haver apenas um lugar no mundo em que valia a pena estar: no topo daquela grande pedra.

Correndo e fazendo um desvio habilidoso, Poliana passou pelo homem encurvado, foi costurando por entre as fileiras de hortaliças, e, já um tanto ofegante, chegou à trilha que passava pelo campo aberto. Em seguida, ela começou a subida, determinada. No entanto, já estava pensando em quão distante aquela pedra deveria estar, apesar de parecer muito próxima quando vista da janela!

Quinze minutos depois, o grande relógio do corredor do solar dos Harrington bateu as seis horas. No momento exato da última badalada do relógio, Nancy tocou a campainha que anunciava que o jantar estava servido.

Um, dois, três minutos se passaram. A senhorita Polly fechou a cara e começou a bater um dos pés no chão. Um tanto desajeitadamente, ela se levantou, foi para o corredor e olhou para cima na direção das escadas, impaciente. Por um instante, ela ouviu atenta, depois, se virou e voltou para a sala de jantar.

– Nancy – disse ela com determinação assim que a empregada apareceu. – Minha sobrinha está atrasada. Não, não precisa chamá-la – acrescentou ela, severa, à medida que Nancy começou a se dirigir para a porta do corredor. – Eu avisei a ela a que horas era servido o jantar, e agora ela vai ter de arcar com as consequências. É melhor que ela aprenda logo a ser pontual. Quando ela descer, pode dar a ela pão e leite na cozinha.

– Sim, senhora. – Talvez tenha sido bom que a senhorita Polly não estivesse olhando para o rosto de Nancy naquele exato momento.

Depois do jantar, assim que foi possível, Nancy se esgueirou pelas escadas e foi até o quarto do sótão.

– Pão e leite, onde já se viu! A coitadinha deve ter dormido de tanto chorar – resmungava ela de modo feroz enquanto suavemente abria a porta. No instante seguinte, deu um grito de susto. – Cadê você? Aonde você foi? Aonde você *foi?* – arfando, olhou no *closet*, embaixo da cama e até dentro do baú e embaixo do jarro d'água. Depois, desceu as escadas voando e foi até o velho Tom, no jardim.

– Senhor Tom, senhor Tom, aquela bendita criança sumiu – lamentou ela. – Ela deve ter subido aos céus, de onde veio, a pobrezinha... e me mandaram dar a ela pão e leite na cozinha... ela deve estar comendo a comida dos anjos neste exato momento, eu garanto, eu garanto!

O velho endireitou a coluna.

– Sumiu? Para o céu? – repetiu embasbacado, percorrendo com os olhos o crepúsculo brilhante. Ele parou, olhou fixa e atentamente, e depois se virou, escancarando devagar um sorriso. – Bem, Nancy, parece mesmo que ela tentou chegar o mais perto do céu que pôde, isso é verdade – concordou, apontando com um dedo torto para o ponto em que, bem definido contra o céu avermelhado, um vulto magro e levado pelo vento tentava se equilibrar no topo de uma enorme pedra.

– Bem, desse jeito ela não vai chegar no céu hoje à noite... não se depender de mim – afirmou Nancy com insistência. – Se a patroa perguntar, diga a ela que não me esqueci da louça suja, mas que fui dar um passeio. – Ela se virou e começou a correr pela trilha que levava ao campo aberto.

Capítulo 5

O jogo

– Pelo amor a esta terra, senhorita Poliana, que susto que a senhorita me deu – arfou Nancy, se apressando para subir a pedra, a qual Poliana infelizmente acabara de descer escorregando.

– Assustei você? Oh, sinto muito; mas você jamais deveria sentir medo por mim, Nancy. O papai e as senhoras da Sociedade Auxiliadora Feminina costumavam fazer isso também, até que eles se deram conta de que eu sempre volto inteira.

– Mas eu nem sabia onde a senhorita havia ido – gritou Nancy, colocando a mãozinha da garota embaixo de um dos seus braços e descendo a colina com pressa. – Eu não vi a senhorita sair, e os outros, tampouco. Você deve ter voado pelo telhado, aposto.

Poliana saltitou, alegre.

– Foi mesmo, quase... só que eu voei para baixo em vez de para cima. Eu desci pela árvore.

Nancy parou de súbito.

– A senhorita fez... o quê?

– Desci pela árvore, do lado de fora da minha janela.

– Meu Deus do céu! – exclamou Nancy, e voltou a se apressar. – Queria só ver o que a sua tia teria a dizer sobre isso!

– Queria mesmo? Vou contar a ela então; assim, você pode descobrir – prometeu a garotinha com animação.

– Misericórdia! – arquejou Nancy. – Não... não!

– Por quê? Você não está querendo dizer que ela se importaria, não é? – gritou perturbada Poliana.

– Não... é... sim... bem, deixa para lá. Eu... eu não tenho tanta vontade assim de descobrir o que ela diria, de verdade – gaguejou Nancy, determinada a salvar Poliana pelo menos de uma bronca.

– Mas é melhor nos apressarmos. Tenho de lavar a louça, sabe?

– Eu ajudo – prometeu imediatamente Poliana.

– Ah, senhorita Poliana! – Nancy fez uma objeção.

Por um instante se fez silêncio. O céu escurecia com rapidez. Poliana agarrou o braço de sua amiga com mais firmeza.

– Acho que fico contente, no fim das contas, por você *ter* se assustado... um pouco, porque assim você veio me procurar – disse ela tremendo.

– Coitadinha! A senhorita deve estar com fome. Eu... eu receio que a senhorita vá ter de comer pão e leite na cozinha comigo. Sua tia não gostou do fato de a senhorita não ter descido para o jantar, sabe?

– Mas eu não poderia ter descido. Eu estava aqui.

– Sim, mas... ela não sabia disso! – observou secamente Nancy, contendo uma risada. – Sinto muito pelo pão e leite, sinto muito mesmo.

– Ah, eu não. Estou é contente.

– Contente? Por quê?

– Ora, porque eu gosto de pão e de leite, e eu gostaria de comer com você. Não vejo nenhum problema em ficar contente por isso.

– A senhorita parece não ver problema em ficar contente por qualquer coisa – replicou Nancy, se emocionando um pouco ao lembrar das tentativas corajosas de Poliana de gostar do ermo quartinho do sótão.

Poliana riu de leve.

– Bem, de qualquer modo, este é o jogo.

– O... *jogo*?

– Sim, o "jogo do contente".

– De que diabos está falando?

– Ora, é apenas um jogo. O papai me ensinou, e eu o adoro – respondeu Poliana. – Sempre brincamos disso, desde que eu era bem pequena. Eu falei do jogo para as senhoras da Sociedade Auxiliadora Feminina, e algumas delas jogaram-no comigo.

– Do que se trata? Eu não sou lá muito boa em jogos.

Poliana riu de novo, mas suspirou também; e, no crepúsculo, seu rosto pareceu magro e melancólico.

– Ora, começamos o jogo quando chegou um par de muletas no pacote de doações.

– *Muletas*!

– Sim. Sabe, eu queria uma boneca, e o papai escreveu para os missionários dizendo isso; mas, quando chegou o pacote, uma das senhoras nos escreveu dizendo que não havia chegado nenhuma boneca, mas haviam chegado pequenas muletas. Então, ela as enviou porque poderiam ser úteis para alguma criança em algum momento. E foi aí que começamos o jogo.

– Bem, devo dizer que não vejo nenhum jogo nisso – afirmou Nancy, quase irritada.

– O jogo era simplesmente encontrar algo para ficar contente sobre qualquer coisa, não importava o que fosse – respondeu Poliana com seriedade. – E começamos a jogar naquele momento, com aquelas muletas.

– Santo Deus! Não consigo encontrar nada que me deixe contente no fato de a senhorita ter ganhado muletas quando queria uma boneca!

Poliana bateu palmas.

– É isso… é isso – vangloriou-se ela. – Eu também não consegui a princípio, Nancy – acrescentou ela com franqueza. – O papai teve de me contar.

– Bem, então, conte-me – disse Nancy, quase gritando.

– Ora, basta ficar contente pelo fato de você não... *precisar… delas*! – exclamou triunfantemente Poliana. – Viu como é fácil depois que se aprende?

– Bem, essa é uma das coisas mais estranhas que já vi! – sussurrou Nancy, olhando para Poliana com olhos quase assustados.

– Ah, mas não é estranho… é lindo! – insistiu Poliana com entusiasmo. – Desde então, sempre jogamos esse jogo. E quanto mais difícil, mais divertido é encontrar um motivo para ficar contente; só que… só que às vezes é quase difícil demais... como quando o seu pai vai para o céu, e você não tem mais ninguém além das senhoras da Sociedade Auxiliadora Feminina.

– Sim, ou quando colocam você em um quarto minúsculo e sem nada, bem no topo da casa – grunhiu Nancy.

Poliana suspirou.

– Essa, a princípio, foi difícil – admitiu a menina –, principalmente porque eu estava muito sozinha. E além disso, eu não estava com vontade de jogar naquela hora, e também *queria* coisas bonitas! Depois, me lembrei de que eu odeio ver as minhas sardas no espelho, e vi aquele quadro lindo da janela também; foi aí que eu soube que tinha encontrado coisas que me deixavam contente. Sabe, quando você está buscando coisas que a deixem contente, você meio que esquece as outras coisas... como a boneca que você queria.

– Hum! – comentou Nancy, engasgando ao tentar engolir em seco.

– Em geral não demora muito tempo – suspirou Poliana –, e muitas vezes elas vêm à minha mente *sem* que eu pense nelas. Já me acostumei a jogar esse jogo. É muito lindo. P-papai e eu costumávamos gostar muito dele – titubeou ela. – Mas acho que vai... vai ser um pouco mais difícil agora, enquanto eu não tiver alguém para jogar comigo. Talvez a tia Polly queira jogar – acrescentou ela, em uma reflexão tardia.

– Meu Deus do céu! Ela? – sussurrou Nancy por entre os dentes. Em seguida, em voz alta, ela disse com veemência: – Olha aqui, senhorita Poliana, não estou dizendo que eu vou jogar bem, nem que eu vou saber jogar, de qualquer modo; mas, de certo modo, vou jogar com a senhorita, vou sim!

– Oh, Nancy! – exclamou Poliana, dando um abraço eufórico nela. – Isso vai ser esplêndido! Vamos nos divertir muito, não é?

– É... talvez – concordou Nancy, ainda hesitante. – Mas a senhorita não deve contar muito comigo, sabe? Nunca fui muito boa de jogos, mas vou dar o melhor de mim neste jogo. De qualquer maneira, a senhorita vai ter alguém com quem jogar agora – concluiu Nancy à medida que elas entravam juntas na cozinha.

Poliana comeu com gosto o pão e o leite; depois, por uma sugestão de Nancy, ela foi para a sala de estar, onde sua tia estava sentada, lendo. A senhorita Polly ergueu os olhos do livro com frieza.

– Já jantou, Poliana?

– Sim, tia Polly.

– Sinto muito, Poliana, por ter sido forçada a logo no primeiro dia mandar você para a cozinha para comer pão e leite.

– Mas eu fiquei muito contente que a senhora tenha feito isso, tia Polly. Gosto de pão e de leite e a Nancy também. Não precisa se sentir nem um pouquinho culpada por isso.

A tia Polly de súbito se empertigou um pouco mais na cadeira.

– Poliana, já passa da hora de você ir para a cama. Você teve um dia difícil, e amanhã precisamos organizar seus horários e olhar suas roupas para ver o que temos de comprar para você. Nancy vai lhe dar uma vela. Tenha cuidado ao manuseá-la. O café da manhã será servido às sete e meia da manhã. Certifique-se de que você vai estar aqui embaixo a essa hora. Boa noite.

Quase que de maneira instintiva, Poliana foi direto para o lado de sua tia e deu-lhe um abraço carinhoso.

– Passei momentos lindos até agora – suspirou de felicidade a menina. – Tenho certeza de que vou simplesmente amar morar com a senhora, mas eu já sabia que isso ia acontecer antes mesmo de eu vir. Boa noite – disse ela com alegria enquanto corria para fora da sala.

– Pela minha alma! – cuspiu a senhorita Polly, meio em voz alta. – Que criança extraordinária! – Em seguida, franziu a sobrancelha. – Ela está "contente" por ter sido castigada, e eu "não deveria ficar nem um pouquinho culpada", e ela vai "amar morar" comigo! Pela minha alma! – cuspiu a senhorita Polly de novo, enquanto retomava a leitura.

Quinze minutos mais tarde, no quarto do sótão, uma garotinha solitária soluçava de tanto chorar debaixo dos lençóis:

– Eu sei, papai que está entre os anjos, que não estou jogando o jogo agora, nem um pouquinho; mas acho que nem o senhor poderia encontrar algo para ficar contente tendo que dormir sozinho aqui em cima no escuro, desse jeito. Se pelo menos eu estivesse perto da Nancy ou da tia Polly, ou até mesmo de uma das senhoras da Sociedade Auxiliadora Feminina, tudo seria mais fácil!

Na cozinha, Nancy, se apressando para terminar o trabalho, que estava atrasado, enfiou a esponja no jarro de leite e resmungou, nervosa:

– Se jogar esse jogo bobo – de ficar contente por ter ganhado muletas quando você queria bonecas – é a maneira, a minha maneira, de ser aquele porto seguro, ora, vou jogar... vou jogar sim!

Capítulo 6

Uma questão de dever

Já eram quase sete da manhã quando Poliana acordou no dia seguinte ao de sua chegada. As janelas do quarto dela davam para o sul e o oeste, e, portanto, ela ainda não conseguia ver o sol; mas podia ver o azul difuso do céu da manhã, e sabia que aquele dia prometia ser bonito.

O quartinho estava mais fresco agora, e o ar que entrava nele era fresco e doce. Do lado de fora da casa, os pássaros cantavam alegremente, e Poliana voou até a janela para falar com eles. Foi então que ela viu que sua tia já estava lá embaixo, em meio às roseiras do jardim. Com dedos ágeis, ela se arrumou para se juntar à tia.

Poliana desceu correndo as escadas do sótão, deixando as duas portas escancaradas. Ela correu pelo corredor, desceu o próximo lance de escadas, disparou pela porta com tela na frente da casa e foi para o jardim.

Tia Polly, junto com o homem encurvado, estava debruçada sobre uma roseira quando Poliana, transbordando de alegria, se atirou em cima dela.

– Ah, tia Polly, tia Polly, acho que estou contente esta manhã só por estar viva!

– Poliana! – repreendeu a senhora com dureza, se empertigando o tanto quanto podia com um peso de 45 quilos preso ao pescoço. – É assim que você costuma desejar bom-dia?

A garotinha foi para o chão e começou a saltitar.

– Não, só faço isso quando eu amo tanto as pessoas que não consigo me segurar! Vi a senhora da janela, tia Polly, e comecei a pensar em como a senhora *não era* uma das senhoras da Sociedade

Auxiliadora Feminina, mas a minha tia de verdade; e a senhora estava tão bonita que eu simplesmente tive de descer e lhe dar um abraço!

O homem encurvado, de súbito, se virou de costas. A senhorita Polly tentou fechar a cara, mas sem o sucesso de costume.

– Poliana, você... eu... Thomas, já chega por esta manhã. Acho que você entendeu... o que eu falei sobre estas roseiras – disse ela com rigidez. Depois, se virou e foi embora dali com rapidez.

– O senhor sempre trabalha no jardim, senhor... Homem? – perguntou Poliana, interessada.

O homem se virou. Seus lábios tremiam, mas seus olhos estavam vidrados, como se estivessem rasos d'água.

– Sim, senhorita. Eu sou o velho Tom, o jardineiro – respondeu ele. Com timidez, mas como se impulsionado por uma força irresistível, ele estendeu uma das mãos trêmulas e pousou-a por um instante sobre os cabelos brilhantes da garota. – A senhorita se parece muito com sua mãe! Eu a conheci quando ela era menor ainda do que a senhorita. Sabe, eu costumava trabalhar no jardim... já naquela época.

Poliana recobrou o fôlego tão alto que deu para ouvir.

– É mesmo? E você conheceu minha mãe, de verdade... quando ela era apenas um anjinho terreno, e não um anjinho celestial? Ah, por favor, fale-me dela! – Então, Poliana se sentou no meio do caminho de terra, ao lado do velho.

Uma campainha soou na casa. No instante seguinte, Nancy foi vista voando porta dos fundos afora.

– Senhorita Poliana, aquela campainha quer dizer que o café... é de manhã. – Ela arfou, puxou a garotinha para perto de si e correu com ela para dentro da casa. – Em outros horários, a campainha anuncia as outras refeições. Quando ouvi-la, você deve sempre correr contra o tempo, não importa onde esteja. Se não fizer isso... bem, vai ter de quebrar a cabeça para encontrar *qualquer coisa* que lhe deixe contente! – concluiu ela, espantando Poliana para dentro da casa como ela espantaria uma galinha rebelde até que ela voltasse ao galinheiro.

O café da manhã, durante os primeiros cinco minutos, foi uma refeição silenciosa; depois, a senhorita Polly, com seus olhos reprovadores acompanhando as asas de duas moscas que voejavam de um lado para o outro da mesa, disse com severidade:

– Nancy, de onde vieram essas moscas?

– Eu não sei, senhora. Não havia uma só na cozinha. – Nancy estivera alvoroçada demais para perceber que Poliana havia deixado as janelas abertas desde a tarde anterior.

– Acho que elas podem ser moscas minhas, tia Polly – observou Poliana, de maneira amistosa. – Esta manhã, havia várias delas se divertindo muito lá em cima.

Nancy deixou o cômodo, apressada, mas, para fazer isso, teve de sair levando os bolinhos quentes que ela acabara de trazer.

– Moscas suas! – A senhorita Polly soltou um arquejo. – O que você quer dizer com isso? De onde elas vieram?

– Ora, tia Polly, elas vieram do lado de fora da casa, é claro, e entraram pela janela. Eu inclusive *vi* algumas delas entrando.

– Você as viu! Quer dizer que você abriu aquelas janelas sem tela?

– Ué, sim. E não havia mesmo telas nas janelas, tia Polly.

Nancy, nesse instante, entrou de volta na sala de jantar com os bolinhos. Sua expressão era séria, mas ela estava com o rosto muito vermelho.

– Nancy – ordenou com aspereza a patroa –, pode colocar os bolinhos na mesa, e vá já para o quarto da senhorita Poliana e feche as janelas. Feche as portas também. Mais tarde, depois de terminar o serviço matinal, percorra todos os quartos com o mata-moscas. Certifique-se de passar um pente-fino na casa.

Para a sobrinha, ela disse:

– Poliana, eu já encomendei telas para aquelas janelas. Eu sabia, é claro, que era meu dever fazer isso. Mas me parece que você se esqueceu do *seu* dever.

– Meu... dever? – os olhos de Poliana se arregalaram de assombro.

– Sim. Sei que está fazendo calor, mas considero um dever seu manter aquelas janelas fechadas até que as telas cheguem. As moscas, Poliana, não são apenas irritantes e imundas, são também muito danosas à saúde. Depois do café da manhã vou lhe dar um folheto sobre isso para que você leia.

– Para ler? Ah, obrigada, tia Polly. Eu adoro ler!

A senhorita Polly respirou tão fundo que deu para ouvir, e depois cerrou os lábios com força. Poliana, vendo a expressão austera da tia, franziu as sobrancelhas, um tanto pensativa.

– É claro que sinto muito sobre o dever de que me esqueci, tia Polly – desculpou-se com timidez a menina. – Não vou abrir as janelas de novo.

Sua tia não disse nada em resposta. De fato, ela não disse palavra até o fim da refeição. Depois, se levantou, foi até a estante de livros na sala de estar, retirou dali um pequeno livreto de papel e atravessou o cômodo até ficar ao lado da sobrinha.

– Este é o artigo de que lhe falei, Poliana. Gostaria que você fosse já para o quarto e o lesse. Daqui a meia hora vou subir para examinar suas coisas.

Poliana, com os olhos grudados em uma ilustração da cabeça de uma mosca ampliada muitas vezes, gritou de alegria:

– Ah, obrigada, tia Polly! – No instante seguinte, ela saltitou para fora do cômodo e bateu a porta na saída.

A senhorita Polly franziu as sobrancelhas, hesitou, em seguida atravessou o cômodo imponentemente e abriu a porta; mas Poliana já havia saído de vista, e subia as escadas do sótão fazendo barulho.

Meia hora depois, quando a senhorita Polly, estampando em cada ruga do rosto o rigor do dever, subiu aquelas escadas e entrou no quarto de Poliana, foi recebida com uma explosão de ansioso entusiasmo.

– Ah, tia Polly, jamais vi algo tão maravilhoso e interessante em toda a minha vida. Fico muito contente por a senhora ter me dado aquele livro para ler! Eu jamais imaginaria que as moscas pudessem carregar tantas coisas nas patas, e...

– Basta – observou a tia solenemente. – Poliana, pode me trazer suas roupas agora, vou examiná-las. Aquelas que não forem apropriadas para você eu vou dar para os Sullivan, claro.

Com patente relutância, Poliana largou o folheto e foi em direção ao *closet*.

– Receio que a senhora vai julgá-las piores do que as senhoras da Sociedade Auxiliadora Feminina as julgaram... e *elas* disseram que essas roupas eram vergonhosas – suspirou ela. – Mas nos últimos dois ou três pacotes de doações, a maioria das coisas eram para meninos ou adultos. A senhora já recebeu um pacote de doações dos missionários, tia Polly?

Diante da expressão de ódio e choque de sua tia, Poliana se corrigiu na mesma hora.

– Ora, é claro que não, não é, tia Polly? – Ela continuou a falar apressadamente, com o rosto corado. – Eu esqueci: gente rica nunca recebe esses pacotes. Mas, sabe, às vezes, aqui de cima deste quarto, eu me esqueço de que a senhora é rica.

Indignada, a senhorita Polly abriu a boca, mas palavras não saíram dela. Poliana, simplesmente ignorando o fato de que havia dito algo desagradável, prosseguiu falando com rapidez.

– Bem, como eu ia dizer, não dá para adivinhar o que vai vir nos pacotes de doações, só dá para saber que você não vai encontrar neles o que acha que vai encontrar, até mesmo se você não tiver esperanças de encontrar nada. Quando esses pacotes chegavam, era o momento mais difícil para o papai jogar o jogo, e...

Bem a tempo, Poliana se lembrou de que ela não deveria falar do pai na presença da tia. Ela então mergulhou afobada dentro do *closet* e trouxe nos dois braços todos os seus vestidinhos miseráveis.

– Eles não são nem um pouco bonitos. – A menina engasgou. – E deveriam ser todos pretos, não fosse pelo tapete vermelho para a igreja; mas eles são tudo o que tenho.

Com as pontas dos dedos, a senhorita Polly remexeu na montanha de vestidos, que obviamente não haviam sido feitos para Poliana. Depois, olhou com atenção e com uma cara feia para as roupas íntimas remendadas nas gavetas da cômoda.

– Estou usando o melhor conjunto de roupas íntimas que tenho – confessou Poliana com ansiedade. – A Sociedade Auxiliadora Feminina foi quem comprou para mim. A senhora Jones, a presidente, disse às outras senhoras que eu deveria ganhar isso, nem que elas tivessem que andar batendo os pés pelos corredores sem tapete da igreja pelo resto de suas vidas. Mas elas não vão. O senhor White não gosta de barulho. Ele sofre dos nervos, diz a esposa dele; mas ele tem dinheiro também, e elas esperam que ele vá doar bastante para a compra do tapete, por causa dos nervos dele, sabe? Eu acho que ele deveria ficar contente pelo fato de, apesar de sofrer dos nervos, ter dinheiro, a senhora não acha?

A senhorita Polly parecia não escutar. Terminada a avaliação das roupas íntimas, ela se virou para Poliana um tanto abruptamente.

– Você chegou a frequentar a escola, não, Poliana?

– Ah, sim, tia Polly. Além disso, o pa... quero dizer, me ensinaram algumas coisas em casa também.

A senhorita Polly franziu as sobrancelhas.

– Pois muito bem. No outono, você vai passar a frequentar a escola daqui, é claro. O senhor Hall, o diretor, sem dúvida vai saber decidir em que série você deve entrar. Enquanto isso, acho que eu deveria ouvi-la ler em voz alta durante meia hora todos os dias.

– Eu adoro ler; mas se a senhora não quiser me escutar, eu ficaria muito contente também em ler em voz alta para mim mesma, de verdade, tia Polly. E eu nem teria de tentar ficar contente, porque até prefiro ler em voz alta para mim mesma, por causa das palavras difíceis, sabe?

– Não tenho dúvidas – respondeu a senhorita Polly soturnamente. – Você chegou a estudar música?

– Não muito. Eu não gosto da maneira como eu toco, mas gosto de como os outros tocam, apesar disso. Aprendi a tocar um pouco de piano. A senhorita Gray, que é quem toca na igreja, me ensinou. Mas é melhor considerarmos que eu não sei nada de música, tia Polly. Eu prefiro assim, de verdade.

– Acredito – observou a tia Polly, erguendo de leve as sobrancelhas. – Ainda assim, penso que é meu dever garantir que você seja instruída de maneira adequada pelo menos sobre os fundamentos da música. Você deve costurar, é claro.

– Sim, senhora – suspirou Poliana. – As senhoras da Sociedade Auxiliadora Feminina me ensinaram. Mas foi horrível. A senhora Jones achava que a agulha devia ser segurada de uma maneira diferente das outras senhoras ao abrir as casas dos botões, e a senhora White achava que eu deveria aprender a fazer pesponto antes de aprender a alinhavar uma bainha (ou o oposto disso), e a senhora Harriman nunca me deixava fazer os remendos em nenhuma roupa.

– Bem, todas essas dificuldades se acabaram, Poliana. Eu mesma vou lhe ensinar a costurar, é claro. Suponho que você não saiba cozinhar.

Poliana subitamente riu.

– Elas estavam começando a me ensinar neste verão, mas não fomos muito longe. Com relação à cozinha, elas tinham mais discordâncias do que com relação à costura. Ela *iam* começar por me ensinar a fazer pão; mas cada uma delas tinha uma receita diferente. Então depois de muito discutirem em uma reunião de costura, elas decidiram se revezar uma manhã por semana, me ensinando em suas cozinhas, sabe? Eu só cheguei a aprender a fazer *ganache* de chocolate e bolo de figo, e depois tive de parar. – Ela ficou com a voz embargada.

– *Ganache* de chocolate e bolo de figo! – desdenhou a senhorita Polly. – Acho que podemos dar logo um jeito nisso. – Por um instante, ela parou para refletir, e depois prosseguiu devagar: – Às nove horas de cada manhã você vai ler em voz alta para mim durante meia hora. Antes disso, você vai o usar o tempo que sobra para arrumar este quarto. Nas manhãs de quartas e sábados, depois das nove e meia, você vai para a cozinha com a Nancy para aprender a cozinhar. Nas outras manhãs, você vai costurar comigo. Assim, vai ficar com as tardes livres para estudar música. E eu vou, é claro, procurar já um professor para você – concluiu a tia com firmeza enquanto se levantava de sua cadeira.

Consternada, Poliana gritou.

– Ah, mas tia Polly, tia Polly, a senhora não me deixou com nenhum tempo livre para simplesmente... viver.

– Viver, menina!? O que você quer dizer com isso? Até parece que você não está o tempo todo vivendo!

– Ah, mas é claro que eu vou estar *respirando* durante todo o tempo em que estiver fazendo essas atividades, tia Polly, mas eu não vou estar vivendo. Respiramos o tempo todo em que estamos dormindo, mas não estamos vivendo. Eu falo de viver, de fazer as coisas que lhe dão vontade: brincar ao ar livre, ler (para mim mesma, é claro), escalar colinas, conversar com o senhor Tom no jardim, e com a Nancy, e descobrir tudo sobre as casas e as pessoas e todas as coisas e lugares das ruas maravilhosas pelas quais passei ontem. É isso o que eu chamo de viver, tia Polly. Respirar apenas não é viver!

A senhorita Polly ergueu a cabeça, irritada.

– Poliana, você *é* a criança mais extraordinária que há! É claro que vou lhe permitir um tempo adequado para brincar. Mas, sem dúvida, me parece que, se eu estou disposta a cumprir com meu dever de garantir que você receba o cuidado e a educação apropriados, *você* deveria estar disposta a cumprir com seu dever de garantir que esse cuidado e essa educação não sejam desperdiçados de modo ingrato.

Poliana parecia chocada.

– Ah, tia Polly, eu jamais seria capaz de ser ingrata… com *a senhora*! Ora, *eu a amo*… e a senhora nem é da Sociedade Auxiliadora Feminina: a senhora é uma tia!

– Pois muito bem; então, certifique-se de jamais agir com ingratidão – condescendeu a senhorita Polly enquanto se virava em direção à porta.

Ela já havia descido metade das escadas quando uma vozinha vacilante a chamou:

– Por favor, tia Polly, a senhora não me disse quais das minhas coisas gostaria de… doar.

Tia Polly soltou um suspiro de cansaço, um suspiro que foi direto para os ouvidos de Poliana.

– Ah, me esqueci de lhe dizer, Poliana. O Timothy vai nos levar à cidade hoje à uma e meia da tarde. Nenhuma das suas roupas é apropriada para uma sobrinha minha. Eu certamente não estaria cumprindo com meu dever se permitisse que você aparecesse em público vestindo qualquer uma dessas roupas.

Quem suspirou desta vez foi Poliana; ela achava que iria detestar esta palavra: dever.

– Tia Polly, por favor – disse ela com tristeza –, existe *alguma* maneira de a senhora se sentir contente com relação a toda essa história... de dever?

– O quê? – a senhorita Polly olhou para cima surpresa e chocada; depois, de repente, com bochechas muito coradas, se virou e desceu as escadas com raiva. – Não seja impertinente, Poliana!

No quente quartinho do sótão, Poliana se jogou em uma das cadeiras de encosto reto. Para ela, a existência parecia uma série infinita de deveres.

– Não consigo enxergar, de verdade, o que houve de impertinente na minha pergunta – suspirou ela. – Eu estava apenas perguntando se ela conseguia me dizer uma coisa que a deixava contente em toda essa história de dever.

Durante vários minutos, Poliana ficou sentada em silêncio, com os olhos arrependidos fixados na montanha de roupas miseráveis sobre a cama. Depois, lentamente, ela se levantou e começou a guardar os vestidos.

– Não há nada nisso que possa deixar alguém contente, não que eu consiga ver – disse ela em voz alta. – A não ser que... devamos ficar contentes quando o dever foi cumprido! – Depois dessa frase, começou a rir subitamente.

Capítulo 7
Poliana e os castigos

À uma e meia da tarde da tarde, Timothy levou a senhorita Polly e sua sobrinha às quatro ou cinco principais lojas de roupas da cidade, que ficavam a cerca de 800 metros do solar.

A compra de um novo enxoval para Poliana acabou se tornando uma experiência fascinante para todos os envolvidos. A senhorita Polly experimentou a sensação de leve relaxamento que as pessoas sentem quando por fim se encontram em terra firme depois de uma caminhada perigosa pela crosta fina de um vulcão. Os muitos funcionários que atenderam a dupla terminaram com os rostos muito corados, e com histórias fascinantes sobre Poliana o suficiente para deixar seus amigos rindo pelo resto da semana. Já Poliana saiu da experiência sorrindo radiantemente e com o coração contente; pois, como ela mesma disse a um dos atendentes:

– Quando não se tem ninguém além de pacotes de doações e senhoras da Sociedade Auxiliadora Feminina vestir você, é, maravilhoso simplesmente entrar em uma loja e comprar roupas novas em folha, e que não têm de ser ajustadas ou descartadas porque elas não cabem em você!

A expedição de compras tomou toda a tarde; depois, veio o jantar e uma agradável conversa com o velho Tom no jardim, e outra conversa com Nancy na varanda do quintal, depois que a louça havia sido lavada, e enquanto tia Polly visitava um vizinho.

O velho Tom contou a Poliana coisas maravilhosas sobre a mãe dela, coisas que de fato a deixaram muito feliz; e Nancy contou a ela sobre a pequena fazenda a cerca de dez quilômetros dali, em Corners, onde vivia a querida mãe de Nancy e seus igualmente queridos irmão e irmãs. Ela também prometeu que algum dia, se a senhorita Polly permitisse, levaria Poliana para visitá-los.

– E *eles têm* nomes lindos também. A senhorita vai gostar dos nomes *deles* – suspirou Nancy. – Eles se chamam "Algernon", "Florabelle" e "Estelle". Eu... eu simplesmente odeio "Nancy"!

– Ah, Nancy, que coisa horrível de se dizer! Por quê?

– Porque ele não é tão bonito quanto os outros. Sabe, eu fui a primeira a nascer, e nessa época minha mãe ainda não havia começado a ler muitas histórias com personagens de nomes bonitos.

– Mas eu adoro "Nancy", pelo simples motivo de que é o seu nome – afirmou Poliana.

– Hum! Bem, acho então que você também adoraria "Clarissa Mabelle" – retrucou Nancy –, e eu seria muito mais feliz. Acho *esse* nome simplesmente grandioso!

Poliana riu.

– Bem, de qualquer maneira – a menina deu uma risada –, pode ficar contente pelo meu nome não ser "Hiphzibah".

– Hiphzibah!

– Sim. Este é o nome da senhora White. O marido a chama de "Hip", e ela não gosta nem um pouco. Ela diz que quando ele chama "Hip, Hip!", ela se sente como se logo depois alguém fosse gritar "Hurra!". E ela não gosta que gritem "hurra" para ela.

O rosto triste de Nancy se relaxou, e ela abriu um largo sorriso.

– A senhorita é danada mesmo! Sabe de uma coisa? Agora sempre que eu ouvir "Nancy", vou lembrar desse "Hip! Hip!" e rir. Meu Deus, acho que *fiquei* contente... – Ela parou de falar e lançou um olhar estupefato para a garotinha. – Senhorita Poliana, quer dizer que... a senhorita estava agora mesmo jogando aquele jogo... quando disse para eu ficar contente por meu nome não ser "Hiphzibah"?

Poliana franziu as sobrancelhas; depois, deu uma gargalhada.

– Ora, Nancy, é isso mesmo! Eu *estava* jogando o jogo... mas essa foi uma das vezes em que joguei sem me dar conta disso, eu acho. Sabe, você acaba *fazendo isso* muitas vezes; você se acostuma a sempre procurar alguma coisa que lhe deixe contente. E, em geral, conseguimos encontrar em qualquer coisa que nos deixe contente, se procurarmos por tempo o bastante.

– Bem, t-talvez – concordou Nancy, ainda hesitante.

Às oito e meia da noite, Poliana foi para a cama. As telas ainda não haviam chegado, e o quartinho fechado mais parecia um forno. Com olhos desejosos, Poliana olhou para as duas janelas trancadas, mas não as abriu. Ela tirou a roupa, dobrou-a com cuidado, rezou, apagou a vela e se deitou na cama.

Ela não fazia ideia de quanto tempo ficou deitada, sofrendo sem conseguir dormir, se virando de um lado para o outro naquela pequena e quente cama de armar; mas para ela parecia haver passado horas antes de ela por fim sair da cama, andar tateando pelo quarto e abrir a porta.

O restante do sótão era escuro como veludo preto, exceto onde o luar pintava um caminho prateado pelo chão a partir da trapeira que ficava a leste. Decidida a ignorar aquela escuridão assustadora à esquerda e à direita, Poliana respirou fundo e caminhou com passos leves pelo caminho prateado até a trapeira.

Ela havia nutrido uma esperança vaga de que a trapeira pudesse ter uma tela mosquiteira, mas não tinha. Do lado de fora, no entanto, havia um amplo mundo bonito como nos contos de fadas, e havia também, como ela bem sabia, ar fresco e doce que dariam uma sensação muito boa às suas bochechas e mãos quentes!

À medida que ela chegou mais perto e olhou avidamente ela viu outra coisa: ela viu, logo abaixo da janela, o largo e plano telhado de zinco do solário da senhorita Polly, que havia sido construído no pórtico da casa. Aquela visão a encheu de desejo. Ai, se ela pelo menos pudesse estar lá fora agora!

Com medo, ela olhou para trás. Atrás dela, em algum lugar, estavam seu quartinho quente e sua cama mais quente ainda; mas, entre ela e eles, havia uma terrível escuridão deserta que só podia ser atravessada tateando as paredes com braços estendidos que pareciam cada vez menores; e, diante dela, no telhado do solário, havia o luar e o ar fresco e doce da noite.

Quem dera que a cama dela ficasse ali fora! Pois há pessoas que dormem ao relento. Na cidade em que ela morava, Joel Hartley, que estava muito mal de tuberculose, tinha de dormir do lado de fora de casa.

De repente, Poliana se lembrou de que tinha visto perto dessa janela do sótão uma fileira longa de sacos brancos pendurados em pregos. Nancy tinha dito que eles continham roupas de inverno, que ficam guardadas ali durante o verão. Um pouco assustada agora, Poliana foi tateando até chegar a esses sacos, escolheu um que era volumoso e bem macio (ele continha o casaco de pele de foca da senhorita Polly) para usar como cama; e um saco mais vazio para fazer as vezes de travesseiro, e outro ainda (que continha tão poucas coisas que mais parecia estar vazio) para usar como lençol. Assim equipada e entusiasmada, Poliana andou devagar de volta para a janela iluminada pelo luar, levantou a vidraça e jogou seu fardo no telhado abaixo, e depois desceu até lá, fechando a janela atrás de si com cuidado: Poliana não havia esquecido daquelas moscas com os pés incríveis que carregavam coisas.

Como era deliciosamente fresco! Poliana quase saltitou de alegria, respirando fundo o ar refrescante várias vezes. O telhado de zinco sob seus pés emitia estalos estridentes dos quais Poliana gostou. De fato, ela caminhou duas ou três vezes de uma ponta a outra do telhado, pois o espaço arejado lhe dava uma sensação muito agradável depois de ficar confinada no quartinho; e o telhado era tão largo e plano que ela não teve medo de cair dele. Por fim, com um suspiro de felicidade, ela se aninhou no colchão de casaco de pele de foca, arrumou um dos sacos na forma de um travesseiro, usou o outro para se cobrir e se ajeitou para dormir.

– Fico tão contente que as telas não tenham chegado ainda – murmurou ela enquanto piscava para as estrelas. – Se não, eu não estaria aqui!

No andar de baixo, no quarto ao lado do solário, a senhorita Polly, com o rosto lívido e muito assustada, vestia apressadamente uma camisola e um par de pantufas. Momentos antes, ela havia telefonado para Timothy com a voz trêmula:

– Venham para cá, você e seu pai, rápido! Tragam lampiões. Tem alguém no telhado do solário. Ele deve ter escalado pela treliça com as roseiras, ou por outro lugar, e é claro que ele vai conseguir entrar na casa pela janela do sótão que fica a leste. Daqui de dentro, eu tranquei a porta do sótão, mas venham rápido!

Algum tempo depois, Poliana, quase pegando no sono, se assustou com o facho de um lampião e com três exclamações de espanto.

Ela abriu os olhos e deu de cara com Timothy no topo de uma escada ao seu lado, com o velho Tom descendo pela janela, e com sua tia espiando-a por trás dele.

– Poliana, o que significa isso? – gritou então tia Polly.

Poliana piscou os olhos de sono e se sentou.

– Ora, senhor Tom... tia Polly! – gaguejou ela. – Não façam essas caras de susto! Não estou com tuberculose, sabem, como o Joel Hartley. Acontece que eu estava com muito calor... lá dentro. Mas eu fechei a janela, tia Polly, para que as moscas não levassem para casa aquele negócio de germes.

Timothy subitamente desapareceu escada abaixo. O velho Tom, com quase a mesma pressa, passou o lampião para a senhorita Polly e seguiu o caminho do filho. A senhorita Polly mordeu os lábios com força até que os homens tivessem ido embora; depois, disse com severidade:

– Poliana, me dê já essas coisas e venha aqui para dentro. Que garota extraordinária! – exclamou ela um pouco mais tarde, já com Poliana ao seu lado e com o lampião na mão.

Para Poliana, o ar ali parecia ainda mais abafado depois do refrescante ar do lado de fora da casa; mas ela não se queixou. Ela apenas deu um suspiro longo e trêmulo.

Do alto das escadas, a senhorita Polly disse, seca:

– Poliana, você vai dormir comigo em minha cama pelo resto desta noite. As telas vão chegar amanhã, mas até lá considero dever meu manter você em um lugar que eu possa ficar de olho em você.

Poliana respirou fundo.

– Com a senhora? Na sua cama? – gritou ela extasiada. – Ah, tia Polly, tia Polly, que maravilhoso da parte da senhora! Eu sempre quis dormir junto com alguém algum dia, alguém que fosse da minha família, sabe, e não uma das senhoras da Sociedade Auxiliadora Feminina. Eu já não suportava mais. Meu Deus! Agora fiquei contente que as telas ainda não chegaram! A senhora não acha?

Não houve resposta. A tia seguiu na frente. A senhorita Polly, para falar a verdade, estava se sentindo estranhamente impotente. Pela terceira vez desde a chegada de Poliana, a senhorita Polly a castigava, e pela terceira vez ela estava tendo de encarar o fato incrível de o castigo estar sendo interpretado como uma recompensa. Não era de se estranhar que a senhorita Polly estivesse se sentindo daquela maneira.

Capítulo 8

Poliana faz uma visita

Não demorou muito para a vida na propriedade dos Harrington voltar a ter certa ordem, só que não era exatamente a ordem que a senhorita Polly havia determinado. Poliana costurava, estudava música, lia em voz alta e aprendia a cozinhar, é verdade; mas ela não dedicava a essas atividades tanto tempo quanto havia sido combinado. Além disso, Poliana tinha mais tempo para "simplesmente viver", como ela mesma disse, pois tinha todas as tardes das duas às seis horas livres para fazer o que quisesse, contanto que ela não "quisesse" fazer certas coisas que a tia Polly já havia proibido.

O que não se sabe é se todo esse tempo de ócio era permitido à Poliana como um descanso depois do trabalho dela ou se era a tia Polly quem aproveitava para descansar de Poliana. À medida que aqueles primeiros dias de julho se passaram, tia Polly encontrou várias oportunidades de exclamar: "Que garota extraordinária!", e ela sempre terminava as aulas de leitura e de costura um tanto tonta e completamente exausta.

Nancy, na cozinha, teve mais sorte. Ela não ficava tonta e exausta. As quartas-feiras e os sábados acabaram se tornando, de fato, dias memoráveis para ela.

Não havia crianças com quem Poliana pudesse brincar na vizinhança da propriedade dos Harrington. O solar ficava nas imediações do vilarejo, e apesar de haver outras casas não muito longe dali, nelas não moravam meninos ou meninas da idade de Poliana. Isso, no entanto, não parecia incomodar Poliana nem um pouco.

– Ah, não, eu não ligo nem um pouco – explicou ela à Nancy –, me contento em apenas andar por aí e ver as ruas, as casas e observar as pessoas. Eu simplesmente amo gente. E você, Nancy?

– Bem, não posso dizer que amo... não todas as pessoas – retrucou Nancy.

Em quase todas as tardes agradáveis, Poliana implorava por "algum afazer," como desculpa para poder dar um passeio; e era nesses passeios que ela com frequência encontrava o Homem. Para si mesma Poliana sempre se referia a ele como "o Homem", mesmo que ela viesse a encontrar uma dezena de outros homens no mesmo dia.

O Homem muitas vezes vestia um casaco preto comprido e uma cartola de seda, duas coisas que os "homens comuns" nunca vestiam. Ele tinha a barba bem-feita e o rosto muito pálido, e seu cabelo, que se podia ver sob a cartola, era grisalho. Ele caminhava empertigado e rapidamente, e sempre estava sozinho, o que fez Poliana ter um pouco de pena dele. Talvez tenha sido por isso que certo dia ela o abordou.

– Como vai o senhor? Está um dia bonito, não? – disse ela, alegre, à medida que se aproximava dele.

O Homem olhou à sua volta de soslaio, e depois se deteve, hesitante.

– Você falou… comigo? – perguntou ele com um voz ríspida.

– Sim, senhor – retrucou Poliana. – Eu perguntei se o senhor não acha que está fazendo um dia bonito.

– Hein? Ah! Hum! – resmungou ele, e voltou a caminhar.

Poliana riu. "Que homem engraçado", pensou ela.

No dia seguinte, ela o viu de novo.

– Hoje o dia não está tão lindo quanto ontem, mas até que está bonito – comentou ela com alegria.

– Hein? Ah! Hum! – resmungou o Homem do mesmo modo que no dia anterior; e, mais uma vez, Poliana riu.

Quando Poliana voltou a abordar atrevidamente o homem por uma terceira vez, ele parou de modo abrupto.

– Olha aqui, garota, quem é você, e por que está falando comigo todos os dias?

– Eu me chamo Poliana Whittier, e achei que o senhor parecia solitário. Fico contente que tenha parado. Agora fomos apresentados; falta só eu saber o seu nome.

– Ora, de todas as... – O homem não terminou a frase, e saiu caminhando mais rápido do que das outras vezes.

Poliana observou-o com uma expressão de decepção, em vez do sorriso costumeiro.

– Talvez ele não tenha entendido... mas essa foi uma apresentação que ficou pela metade. Ainda não sei o nome *dele* – murmurou ela enquanto seguia seu caminho.

Naquele dia, Poliana estava levando geleia de mocotó para a senhora Snow. A senhorita Polly Harrington toda semana mandava alguma coisa para a senhora Snow. Ela disse que achava que era dever seu, visto que a senhora Snow era pobre, doente e ambas frequentavam a mesma paróquia: era dever de todos os paroquianos tomar conta dela, é claro. A senhorita Polly em geral cumpria o seu dever com a senhora Snow às tardes de quinta-feira, mas nunca pessoalmente; ela sempre mandava Nancy. Naquele dia, Poliana implorara pelo privilégio de levar a comida, e Nancy entregou a comida a ela, seguindo as ordens da senhorita Polly.

– Fico contente por ter me livrado disso – afirmou Nancy em particular para Poliana um pouco depois. – Mas é uma pena que a tarefa tenha sido passada para a senhorita, pobrezinha!

– Mas eu farei com prazer, Nancy.

– Bem, depois que você fizer isso uma vez, já não vai sentir prazer nenhum – vaticinou Nancy com amargura.

– Por que não?

– Porque ninguém gosta de fazer isso. Se as pessoas não sentissem pena dela, não haveria alma viva que chegasse perto dela o dia todo, de tão rabugenta que ela é. Apesar de tudo, tenho pena da filha, que *tem* de cuidar dela.

– Mas por que, Nancy?

Nancy deu de ombros.

– Bem, falando com clareza, tudo o que acontece está errado aos olhos da senhora Snow. Nem com os dias da semana ela fica satisfeita. Se é segunda, ela com certeza vai dizer que queria que fosse domingo; e se você levar geleia de mocotó para ela, com certeza vai escutar que ela preferia frango... mas se você *tivesse* levado frango, ela ia reclamar, dizendo que queria caldo de cordeiro!

– Ora essa, que mulher engraçada – Poliana riu. – Acho que vou gostar de visitá-la. Ela deve ser muito surpreendente, e... diferente. Adoro gente *diferente*.

– Hum! Bem, a senhora Snow sem dúvida é diferente... espero eu, pelo bem de todos nós! – concluiu Nancy com tristeza.

Poliana estava pensando naqueles comentários enquanto chegava ao portão do casebre. Seus olhos estavam brilhando com a expectativa de conhecer aquela senhora Snow "diferente".

Uma jovem de rosto pálido e cansado atendeu a porta.

– Como vai? – perguntou educadamente Poliana. – Venho da parte da senhorita Polly Harrington, e gostaria de ver a senhora Snow, por favor.

– Bem, se me permite, você é a primeira pessoa que escuto que "gostaria" de vê-la – murmurou a garota entre dentes; mas Poliana não ouviu o comentário. A garota havia se virado, e estava guiando o caminho pelo corredor até uma porta que ficava no final dele.

No quarto da doente, depois de a jovem tê-la convidado a entrar e fechado a porta, Poliana piscou os olhos de leve antes de se acostumar à penumbra. Depois ela viu o vulto de uma mulher sentada na cama do outro lado do quarto. Poliana se aproximou.

– Como vai, senhora Snow? A tia Polly disse que espera que a senhora esteja bem hoje, e lhe mandou um pouco de geleia de mocotó.

– Meu Deus! Geleia? – murmurou ela com uma voz irritadiça. – É claro que estou muito agradecida, mas eu esperava que ela mandasse hoje caldo de cordeiro.

Poliana franziu as sobrancelhas de leve.

– Ora, mas eu achei que era *frango* o que a senhora queria quando as pessoas traziam geleia de mocotó – disse ela.

– O quê? – A mulher doente se virou de repente.

– Não foi nada – desculpou-se Poliana apressadamente. – E não faz diferença, é claro. Acontece que a Nancy disse que a senhora sempre quer frango quando trazemos geleia de mocotó, e caldo de cordeiro quando trazemos frango, mas talvez seja o contrário, e a Nancy se enganou.

A doente se empertigou até ficar sentada com a coluna reta na cama, o que era um ato muito inusitado da parte dela, mas Poliana não sabia disso.

– Bem, senhorita Impertinência, quem é a senhorita? – Ela exigiu saber.

Poliana riu, jubilante.

– Ai, *esse* não é o meu nome, senhora Snow... e fico contente que não seja! Esse nome é pior do que "Hiphzibah", não é? Eu me chamo Poliana Whittier, sou sobrinha da senhorita Polly Harrington, e me mudei para cá para morar com ela. Por isso vim aqui hoje com a geleia de mocotó.

Durante a primeira parte dessa fala, a doente permaneceu interessada e com a coluna reta; mas, depois da menção à geleia de mocotó, caiu sem forças sobre o travesseiro.

– Muito bem, obrigada. Sua tia é muito bondosa, é claro, mas estou sem apetite agora de manhã, e estava desejando cordeiro... – Ela se deteve de repente, e depois voltou a falar, mudando de assunto de maneira brusca. – Não preguei os olhos ontem à noite... nem por um minuto!

– Nem me fale, eu gostaria que isso *me* acontecesse – suspirou Poliana enquanto colocava a geleia sobre o criado-mudo e se sentava confortavelmente na cadeira mais próxima. – Perdemos muito tempo dormindo! A senhora não acha?

– Perdemos tempo... dormindo! – exclamou a doente.

– Sim, quando podíamos muito bem estar vivendo, sabe. Eu acho uma pena que não possamos viver as noites também.

A mulher voltou a se empertigar na cama.

– Ora, ora, que jovenzinha incrível! – gritou ela. – Vá até aquela janela e abra a cortina – comandou ela. – Quero ver seu rosto!

Poliana se levantou, mas riu, um tanto arrependida.

– Meu Deus! Aí a senhora vai ver as minhas sardas! – suspirou ela enquanto ia até a janela. – E logo no momento em que eu estava contente pelo fato de aqui estar escuro e a senhora não poder ver minhas sardas. Prometo! Agora a senhora pode... oh! – exclamou ela, animada, enquanto olhava de volta para a cama. – Estou muito contente que a senhora tenha querido olhar para mim, porque eu consigo vê-la! Ninguém me disse que a senhora era bonita assim!

– Eu... bonita! – zombou a mulher com amargura.

– Ué, sim. A senhora não sabia? – perguntou Poliana.

– Não, não sabia – retrucou secamente a senhora Snow. Ela tinha 40 anos, e passara os últimos 15 anos ocupada demais desejando que as coisas fossem diferentes para encontrar tempo para apreciar as coisas como elas eram.

– Ah, mas seus olhos são bem grandes e escuros, e seu cabelo é todo escuro também, e cacheado – disse Poliana com admiração. – Adoro cachos morenos. (Essa é uma das coisas que eu vou ter quando eu for para o céu.) E a senhora tem duas manchas rosadas nas bochechas. Ora, senhora Snow, a senhora *é* bonita! Achei que a senhora soubesse disso quando se olha no espelho.

– Espelho! – retrucou a doente, que se jogou em seu travesseiro. – Bem, eu não tenho passado muito tempo na frente do espelho nos últimos dias... e nem você teria, se estivesse entrevada como eu!

– Não, é claro que não – concordou Poliana em solidariedade. – Mas espere só... deixe-me mostrar para a senhora – exclamou ela enquanto ia até a cômoda e pegava um pequeno espelho.

No caminho de volta até a cama, ela se deteve, lançando um olhar crítico para a doente.

– Acho que, talvez, se a senhora não se importar, eu gostaria de arrumar seu cabelo só um pouco antes de mostrar seu reflexo para a senhora – sugeriu ela. – Posso arrumar seu cabelo, por favor?

– Ora, eu... acho que sim, se você quiser – permitiu a senhora Snow, relutante. – Mas ele logo vai voltar a ficar bagunçado, sabe.

– Ah, obrigada. Adoro arrumar o cabelo das pessoas – respondeu exultante Poliana, pousando o espelho na cômoda com cuidado e procurando uma escova. – Só vou escová-lo um pouquinho hoje, pois quero que a senhora veja logo o quão bonita é; outro dia, vou soltar todo o seu cabelo e me divertir muito com

ele – comentou ela enquanto tocava com cuidado os cabelos ondulados da franja da doente.

Por cinco minutos, Poliana trabalhou rapidamente e com destreza no penteado, afofando os cachos, encurvando uma mecha no pescoço e ajeitando o travesseiro para que a cabeça dela ficasse em uma pose melhor. Enquanto isso, a doente, franzindo a sobrancelha com intensidade, e zombando em voz alta de todo o processo, estava, contra a sua vontade, começando a sentir um formigamento que perigava se tornar entusiasmo.

– Pronto – disse Poliana ofegante, tirando com rapidez um cravo cor-de-rosa de um vaso próximo e prendendo-o ao cabelo escuro, bem em um ponto onde ele faria o melhor efeito. – Agora acho que estamos prontas para o espelho! – Ela segurou triunfante o espelho diante da mulher.

– Hum! – resmungou a doente, olhando com severidade para o próprio reflexo. – Prefiro os cravos vermelhos aos cor-de-rosa. Mas, de qualquer modo, ele vai murchar antes de a noite chegar; então, não faz diferença!

– Mas eu acho que a senhora deveria ficar contente por ele murchar – riu Poliana, pois assim pode ter a diversão de pegar outro. Eu simplesmente amei o seu cabelo afofado assim – concluiu ela com um olhar de satisfação. – A senhora gosta?

– Humm… talvez. De qualquer jeito, o penteado vai se desfazer logo, pois eu me reviro toda hora nesse travesseiro.

– É claro que vai se desfazer logo… e fico contente com isso também – comentou Poliana balançando a cabeça com alegria –, porque assim eu posso arrumá-lo de novo. De qualquer maneira, acho que a senhora devia ficar contente pelo fato de seus cabelos serem pretos... preto fica muito melhor contra a cor do travesseiro do que cabelos loiros como os meus.

– Talvez; mas eu nunca gostei muito de cabelo preto, pois eles costumam ficar grisalhos cedo demais – retrucou a senhora Snow. Ela falava com uma voz irritada, mas não tirava o espelho da frente do rosto.

– Ai, amo cabelo preto! Eu ficaria muito contente se fosse morena – suspirou Poliana.

A senhora Snow largou o espelho e se virou irritada.

– Não ficaria nada! Não se você fosse eu. Você não ficaria contente por ser morena, nem por coisa nenhuma... se tivesse de ficar deitada aqui o dia todo como eu!

Poliana franziu as sobrancelhas, pensativa.

– Ora, seria meio difícil mesmo... fazer isso, não é? – refletiu ela em voz alta.

– Fazer o quê?

– Ficar contente com as coisas.

– Ficar contente com as coisas... quando você está doente e de cama todos os dias da vida? Bem, devo dizer que seria difícil mesmo – retrucou a senhora Snow. – Se você não concorda, então diga-me uma coisa com a qual eu deva ficar contente: é só isso o que peço!

Para o espanto da senhora Snow, Poliana pulou da cadeira e bateu palmas.

– Ai, que delícia! Essa vai ser difícil... não vai? Tenho de ir embora agora, mas vou pensar no caminho de volta para casa; e, talvez, da próxima vez em que eu vier aqui eu possa contar à senhora. Até logo. Vir aqui foi muito agradável! Até logo – disse ela de novo, e tropeçou quando atravessou a porta.

– Ora, vejam só! O que será que ela quis dizer com isso? – exclamou a senhora Snow, olhando na direção por onde a visita tinha saído. Depois de algum tempo, ela virou o rosto, pegou o espelho e ficou olhando e criticando seu reflexo.

– Aquela coisinha *sabe* mesmo fazer um penteado, é verdade – murmurou ela entre dentes. – Tenho de admitir que eu não sabia que meu cabelo poderia ficar bonito assim. De qualquer modo, qual é a utilidade disso? – suspirou ela enquanto largava o espelho entre os lençóis e enfiava a cara no travesseiro, nervosa.

Um pouco mais tarde, quando Milly, a filha da senhora Snow, entrou no quarto, o espelho ainda estava entre os lençóis, mas havia sido cuidadosamente escondido.

– Ora, mamãe... as cortinas estão abertas! – gritou Milly, dividindo seu espanto entre a janela e o cravo no cabelo da mãe.

– Ué, qual é o problema? – retrucou a doente. – Só porque estou doente isso não significa que devo viver a vida no escuro, não é?

– Ora, n-não, claro que não – respondeu Milly, sem querer discutir, enquanto alcançava um vidro de remédio. – É só que... bem, a senhora sabe que faz tempo que eu tento convencê-la a deixar entrar mais luz neste quarto, mas a senhora nunca concordou.

Esse comentário ficou sem resposta. A senhora Snow estava ajeitando a renda de sua camisola. Por fim, irritada, disse:

– Eu acho que já está na hora de *alguém* me dar uma camisola nova de presente... em vez de caldo de cordeiro, para variar!

– Onde já se viu… mamãe!

Não era de se admirar que Milly tenha arquejado alto de perplexidade. Na gaveta atrás dela havia duas camisolas novinhas; fazia meses que Milly, em vão, tentava convencer sua mãe a vestir.

Capítulo 9

O que diz sobre o Homem

Chovia na vez seguinte em que Poliana encontrou o Homem. No entanto, ela o cumprimentou com um sorriso cintilante.

– Hoje o tempo não está tão bonito, não é mesmo? – comentou ela com alegria. – De qualquer modo, fico contente que não chova sempre!

O Homem nem sequer resmungou dessa vez, nem virou o rosto. Poliana se convenceu de que com certeza ele não devia tê-la ouvido. Na outra vez, no entanto (que acabou sendo no dia seguinte), ela falou mais alto. Ela achou que fazer isso era especialmente necessário, pois o Homem caminhava a passos largos, com as mãos nas costas e os olhos virados para o chão, o que, para Poliana, parecia um absurdo perante a luz gloriosa do sol e o ar fresco da manhã. Poliana, como prêmio, estava resolvendo uma incumbência naquela manhã.

– Como vai? – perguntou ela com alegria. – Estou muito contente por hoje não ser ontem, o senhor não acha?

O Homem se deteve de maneira abrupta. Ele estampava uma expressão de raiva.

– Olhe aqui, garotinha, é melhor resolvermos essa questão aqui e agora, de uma vez por todas – disse ele, mal-humorado e impaciente. – Tenho outros assuntos com que me preocupar além do clima. Não sei se o sol está brilhando ou não.

Poliana escancarou um sorriso de júbilo.

– Não, senhor, eu imaginei que não soubesse mesmo. Foi por isso que lhe contei.

– Sim; bem… hein? O quê? – se deteve ele bruscamente, ao compreender de súbito o que a garota havia dito.

– Eu disse que foi por isso que eu lhe contei... para que o senhor reparasse, sabe, que o sol está brilhando, e tudo o mais. Eu sabia que o senhor ficaria contente pelo fato de o sol estar brilhando se apenas parasse para pensar um pouco sobre isso... e o senhor não tinha a menor cara de que *estava* pensando sobre isso!

– Ora, de tudo o que... – exclamou o homem com um gesto de estranha impotência. Ele voltou a seguir seu caminho, mas depois de dar o segundo passo, se virou, ainda franzindo as sobrancelhas.

– Olhe aqui, por que você não encontra alguém da sua idade com quem conversar?

– Eu bem que gostaria, senhor, mas não há ninguém da minha idade por aqui, como diz a Nancy. Ainda assim, eu não me importo muito. Gosto também das pessoas mais velhas, talvez até mais, às vezes... pois estou acostumada com as senhoras da Sociedade Auxiliadora Feminina.

– Hum! As senhoras da Sociedade Auxiliadora Feminina! É isso o que você acha que eu sou? – Os lábios do Homem estavam ensaiando um sorriso, mas a cara feia que ele fazia ainda mantinha os lábios severos e tristes.

Poliana riu jubilosa.

– Ah, não, senhor. O senhor não se parece nem um pouco com as senhoras da sociedade... não que o senhor não seja tão gentil quanto elas, é claro... talvez seja até mais – acrescentou ela com uma polidez apressada. – Sabe, tenho certeza de que o senhor é muito mais simpático do que parece!

O Homem fez um barulho estranho com a garganta.

– Ora, de tudo o que... – exclamou de novo o homem à medida que se virava e voltava a caminhar a passos largos, como antes.

Da vez seguinte em que Poliana encontrou o Homem, ele estava olhando direto nos olhos dela, e estampava uma expressão de franqueza inquisitiva que tornava seu rosto agradável, pensou Poliana.

– Boa tarde – cumprimentou ele um tanto severamente. – Talvez seja melhor eu dizer de saída que *eu sei* que o sol está brilhando hoje.

– Mas o senhor não precisa me dizer isso – Poliana balançou radiante a cabeça. – *Eu sabia* que o senhor sabia no instante em que o vi.

– Ah, você sabia então, hein?

– Sim, senhor; vi isso nos seus olhos, sabe, e no seu sorriso.

– Hum! – resmungou o Homem enquanto seguia seu caminho.

Depois disso, o Homem passou a falar com Poliana sempre, e muitas vezes era ele quem primeiro dirigia a palavra, apesar de raramente dizer algo além de "boa tarde". Mas até isso, no entanto, causou grande surpresa em Nancy, que se arriscou a acompanhar Poliana certo dia em que o Homem a cumprimentou.

– Deus do céu, senhorita Poliana – arquejou ela. – Aquele homem realmente *falou com a senhorita*?

– Ué, sim, ele sempre fala comigo... agora – sorriu Poliana.

– "Ele sempre fala comigo"! Nossa senhora! A senhorita sabe quem... ele... é? – indagou Nancy.

Poliana franziu as sobrancelhas e balançou a cabeça em negativa.

– Acho que ele acabou se esquecendo de me dizer naquele dia. Sabe, eu fiz a minha parte e me apresentei, mas ele, não.

Nancy arregalou os olhos.

– Mas ele nunca fala com ninguém, menina... faz anos já, eu acho, a não ser quando ele realmente precisa, para fazer negócios e tudo o mais. Ele é John Pendleton. Mora sozinho naquele casarão em Pendleton Hill. Nem sequer permite que alguém vá até sua casa cozinhar, faz as refeições no hotel três vezes por dia. Eu conheço a Sally Miner, que trabalha de garçonete lá, e ela disse que ele quase nem abre a boca para dizer o que quer comer. Na maior parte das vezes, ela tem de adivinhar... ela só sabe que tem de ser um prato *barato*! Ela sabe disso sem que ele precise dizer.

Poliana concordou com a cabeça em solidariedade.

– Eu sei bem. Quando se é pobre, você tem de procurar coisas baratas. Papai e eu comíamos bastante fora de casa. Em geral, comíamos feijão e bolinhos de peixe. Costumávamos dizer que ficávamos muito contentes porque gostávamos de feijão... quer dizer, dizíamos isso especialmente quando estávamos na frente do restaurante que servia peru assado, sabe, que custava 60 centavos. O senhor Pendleton gosta de feijão?

– Se ele gosta? Quem se importa? Ora, senhorita Poliana, ele não é pobre. Ele tem rios de dinheiro, John Pendleton tem sim... herdados do pai. Não há ninguém mais rico do que ele neste vilarejo. Se ele quisesse, poderia comer notas de dólares sem nem perceber.

Poliana deu risinhos.

– Como se alguém *pudesse* comer notas de dólares e não perceber, Nancy, quando começar a mastigá-las!

– Ha! O que eu quero dizer é que ele é rico o bastante para fazer isso – disse Nancy, e deu de ombros. – Ele não gasta o dinheiro que tem, é só isso. Está economizando.

– Ah, que barbaridade – conjecturou Poliana. – Que coisa esplêndida! Isso é ser abnegado e carregar a própria cruz. Eu sei bem; papai me contou.

Nancy abriu os lábios abruptamente, como se houvesse palavras de ódio prontas para sair da sua boca; mas seus olhos, que miravam o rosto feliz e crédulo de Poliana, viram algo que impediu que as palavras fossem ditas.

– Hum! – soltou ela. Depois, demonstrando seu antigo interesse, ela prosseguiu: – Mas é estranho que ele fale com a senhorita, sinceramente, senhorita Poliana. Ele não fala com ninguém; e mora sozinho naquele lindo casarão cheio de luxo, pelo menos é o que dizem. Alguns dizem que ele é louco; outros, que é só um entojado; e há ainda os que dizem que ele tem esqueletos no armário.

– Ai, Nancy! – falou Poliana, arrepiando-se. – Como ele pode guardar coisas tão terríveis? Era de se esperar que ele jogasse isso fora!

Nancy deu uma risada. Que Poliana iria tomar o esqueleto ao pé da letra em vez de no sentido figurado ela sabia muito bem; ainda assim, perversamente, ela não corrigiu o erro.

– E *todos* dizem que ele é misterioso – prosseguiu ela. – Em alguns anos, ele só faz viajar, semana depois de semana, e só vai para países pagãos: Egito, Ásia e o deserto de "Sara", sabe.

– Ah, ele é missionário – Poliana balançou a cabeça.

Nancy riu de um jeito estranho.

– Bem, não foi isso o que eu disse, senhorita Poliana. Quando volta dessas viagens, ele escreve livros... livros estranhos, esquisitos, dizem as pessoas, sobre alguma bugiganga que ele encontrou nesses países pagãos. Mas ele nunca tem vontade de gastar seu dinheiro por aqui, nem para viver.

– É claro que não... se ele está economizando o dinheiro para os pagãos – afirmou Poliana. – Mas ele é um homem engraçado, e diferente também, assim como a senhora Snow, só que ele é um diferente mais diferente ainda.

– Bem, acho que sim, e bastante – Nancy deu uma risada.

– De qualquer modo, estou mais contente do que nunca por ele falar comigo – suspirou satisfeita Poliana.

Capítulo 10

Uma surpresa para a senhora Snow

Quando Poliana voltou a visitar a senhora Snow, ela encontrou a senhora, a princípio, em um quarto escuro.

– É a garotinha da casa da senhorita Polly, mamãe – anunciou Milly com uma voz cansada; depois, Poliana ficou sozinha com a inválida.

– Ah, é você? – perguntou uma voz irritada vinda da cama. – Eu me lembro de você. *Qualquer um* se lembraria de você, imagino eu, mesmo que só a visse uma vez. Queria que você tivesse vindo ontem. *Eu queria* você ontem.

– É sério? Bem, então fico contente que não tenha passado muito tempo desde ontem – Poliana riu, entrou alegremente no quarto e pousou com cuidado a cesta sobre uma cadeira. – Meu Deus! Como está escuro aqui, não é? Não consigo vê-la – gritou Poliana, e, sem hesitar, foi até a janela e abriu a persiana. – Quero ver se a senhora arrumou o cabelo como eu arrumei no outro dia... ah, a senhora não arrumou. Mas não importa, fico feliz que não tenha feito isso, pois assim, talvez, a senhora me deixe fazê-lo... mais tarde. Mas agora quero que a senhora veja o que eu trouxe.

A mulher se mexeu inquieta na cama.

– Como se a aparência pudesse de algum modo alterar o gosto – zombou ela, e depois virou os olhos na direção da cesta. – Bem, o que você trouxe?

– Adivinhe! O que a senhora quer? – Poliana saltitou até a cesta. O rosto da menina estava radiante. A doente franziu as sobrancelhas.

– Ora, eu não *quero* nada, não que eu saiba – suspirou ela. – Afinal de contas, todas essas comidas têm gosto parecido!

Poliana deu uma risada.

– Essa daqui não tem. Adivinhe o que é? Se a senhora *quisesse* alguma coisa, o que seria?

A mulher hesitou. Ela própria não havia se dado conta, mas tinha se acostumado tanto a querer o que não tinha que afirmar de supetão o que ela *realmente* queria parecia impossível... até que ela soubesse o que tinha. É claro, no entanto, que a mulher tinha de dizer alguma coisa. Aquela criança extraordinária estava esperando uma resposta.

– Bem, caldo de cordeiro, é claro...

– Pois eu tenho aqui! – alardeou Poliana.

– Mas isso era o que eu *não* queria – suspirou a doente, certa agora sobre o que seu estômago desejava. – O que eu queria era frango.

– Ah, pois eu tenho isso também – Poliana deu uma risada.

A mulher se virou, surpresa.

– As duas coisas? – indagou ela.

– Sim... e trouxe também geleia de mocotó – respondeu triunfante Poliana. – Estava decidida a de uma vez por todas dar à senhora o que a senhora quer; então, Nancy e eu preparamos a cesta. Ah, e eu trouxe uma porção pequena de cada coisa, é claro... mas há um pouco de todas elas! Fico muito contente porque a senhora quis frango – prosseguiu ela satisfeita, abrindo as três tigelas que havia na cesta. – Sabe, fiquei pensando no caminho até aqui: e se a senhora dissesse que queria tripa, ou cebolas, ou algo do gênero, que eu não tivesse? Isso seria uma pena, não é? Depois de eu ter me esforçado tanto... – riu com alegria a menina.

O comentário ficou sem resposta. A doente parecia estar tentando se lembrar de onde havia deixado algo que ela perdera.

– Pronto! Vou deixar todos os pratos aqui – anunciou Poliana enquanto enfileirava as tigelas na mesa. – A senhora provavelmente vai querer caldo de cordeiro amanhã. E hoje, como se sente? – concluiu Poliana com uma pergunta educada.

– Muito mal, obrigada – murmurou a senhora Snow com sua costumeira apatia. – Não consegui tirar meu cochilo hoje de manhã.

Nellie Higgins, minha vizinha, começou a fazer aulas de música, e o som dela praticando quase me deixa louca. E ela não parou um minuto só durante toda a manhã! Não sei o que posso fazer!

Poliana balançou a cabeça em solidariedade.

– Eu sei. É *mesmo* terrível! Isso aconteceu certa vez com a senhora White, uma das senhoras da Sociedade Auxiliadora Feminina, sabe. Na época, ainda por cima, ela teve febre reumática, e não podia se mexer. Ela disse que teria sido mais fácil de aguentar se ela pudesse se mexer. A senhora pode?

– Se eu posso... o quê?

– Ué, se mexer... trocar de posição, sabe, quando a música ficar insuportável de ouvir.

A senhora Snow ficou perplexa por alguns instantes.

– Ora, claro que posso me mexer... para qualquer lugar... na cama – respondeu ela um tanto irritada.

– Bem, então a senhora pode ficar contente por isso, não? – balançou a cabeça Poliana. – A senhora White não podia. Você não pode ficar se remexendo quando tem febre reumática... por mais que você tenha uma vontade terrível de fazê-lo, disse a senhora White. Depois, ela me disse que acha que teria enlouquecido de vez se não fosse pelos ouvidos da irmã do senhor White, que era surda.

– *Ouvidos*... da irmã! O que você quer dizer?

Poliana riu.

– Bem, é que eu não lhe contei tudo, e me esqueci de que a senhora não conhece a senhora White. Sabe, a senhorita White era surda... muito surda; e ela foi visitar o irmão e a cunhada para ajudar a cuidar da senhora White e da casa. Bem, eles custaram tanto em fazer com que a irmã entendesse *qualquer coisa* que, toda a vez que o piano começava a ser tocado do outro lado da rua, a senhora White ficava tão contente por *poder* ouvi-lo que ela não se importava tanto mais com o fato de *realmente* ouvi-lo, pois não parava de pensar em como seria horrível se ela fosse surda e não pudesse ouvir nada, como a irmã do marido. Sabe, ela estava jogando o jogo também. Eu falei do jogo para ela.

– O… jogo?

Poliana bateu palmas.

– Isso! Eu tinha quase esquecido, mas eu pensei em uma coisa, senhora Snow... pela qual a senhora pode se sentir contente.

– *Contente*! Como assim?

– Ora, eu disse à senhora que ia pensar em algo. Não se lembra? A senhora me pediu que lhe dissesse alguma coisa que lhe desse motivo para ficar contente… contente, sabe, apesar de a senhora ter de ficar deitada na cama o dia todo.

– Ah! – zombou a mulher. – Aquilo? Sim, eu lembro; mas não imaginei que você estava sendo mais sincera do que eu.

– Ah, sim, pois eu estava – concordou triunfante Poliana. – E eu pensei em uma coisa. Mas *foi* difícil. Mas é sempre mais divertido quando é difícil. E tenho de admitir, juro por Deus, que demorei bastante até conseguir pensar em alguma coisa. Depois, ela me ocorreu de repente.

– Sério? E o que foi? – A voz da senhora Snow era de uma educação sarcástica.

Poliana respirou fundo.

– Eu pensei… que a senhora podia ficar contente… pelo fato de as outras pessoas não serem como a senhora… doentes prostrados assim, sabe – anunciou ela imponente. A senhora Snow ficou olhando perplexa. Ela tinha ódio nos olhos.

– Ora, realmente! – exclamou ela com um tom de voz pouco agradável.

– E agora vou lhe falar do jogo – propôs Poliana, alegre e confiante. – Vai ser maravilhoso para a senhora jogar... mas vai ser muito difícil. E o jogo é muito mais divertido quando é difícil! Olhe, o jogo é assim... – E ela começou a falar do pacote de doações dos missionários, das muletas e da boneca que não veio no pacote.

Ela havia terminado de contar a história quando Milly apareceu na porta.

– Sua tia está chamando, senhorita Poliana – disse ela com uma languidez entediada. – Ela telefonou para a casa do Harlow, do outro lado da rua. Disse que a senhorita deve se apressar… que tem ainda que compensar por um tempo de estudos perdido antes que escureça.

Poliana se levantou com relutância.

– Está bem – suspirou ela. – Vou me apressar. – Ela riu de súbito. – Presumo que eu deva ficar contente pelo fato de eu ter pernas para poder me apressar, não é, senhora Snow?

Não houve resposta. Os olhos da senhora Snow estavam fechados. Mas Milly, cujos olhos estavam arregalados de surpresa, viu que lágrimas escorriam das bochechas cansadas da mãe.

– Até logo – soltou Poliana por sobre os ombros, à medida que se aproximava da porta. – Sinto muito pelo seu cabelo... eu queria muito tê-lo arrumado hoje. Quem sabe não fica para a próxima vez!

Um por um passaram os dias de julho. Para Poliana, aqueles de fato foram dias felizes. Ela com frequência falava jubilante para a tia como aqueles eram dias felizes. Nessas ocasiões, a tia em geral respondia, exausta:

– Muito bem, Poliana. Fico satisfeita, é claro, que eles sejam dias felizes; mas confio também que eles sejam também produtivos... se não, com certeza fracassei no cumprimento do meu dever.

Poliana costumava responder a esse comentário com um beijo e um abraço, uma atitude que sempre desconcertava a senhorita Polly; mas certo dia ela respondeu com palavras. Foi durante uma das aulas de costura.

– Quer dizer que na opinião da senhora, tia Polly, não bastaria que os dias fossem simplesmente felizes, e nada mais? – perguntou ela um tanto melancólica.

– Exato, Poliana.

– Os dias devem ser pro-du-ti-vos também?

– Claro.

– O que é ser pro-du-ti-vo?

– Ora, é... apenas ser produtivo... que gere um produto, alguma coisa de que você possa tirar proveito, Poliana. Que criança extraordinário que você é!

– Então quer dizer que simplesmente se sentir contente não é produtivo? – questionou Poliana um tanto ansiosa.

– Claro que não.

– Nossa senhora! Então é claro que a senhora não gostaria dele. Receio que, agora, a senhora jamais vai jogar o jogo, tia Polly.

– Jogo? Que jogo?

– Ora, o que o papai... – Poliana bateu na própria boca. – N-nada – gaguejou. A senhorita Polly franziu as sobrancelhas.

– Já chega por hoje, Poliana – disse ela secamente. E a aula de costura acabou.

E foi naquela tarde que Poliana, descendo do quarto no sótão, esbarrou com a tia nas escadas.

– Ora, tia Polly, que coisa maravilhosa! – gritou ela. – A senhora estava subido para me visitar! Pode entrar. Adoro receber visitas – concluiu ela enquanto corria depressa e escancarava a porta do quarto.

Só que a senhorita Polly não tinha a intenção de ir chamar a sobrinha. Ela queria procurar um xale de lã branca no baú de cedro embaixo da janela que ficava ao leste. Mas, para sua surpresa, ela acabou parando não na parte principal do sótão, diante do baú de cedro, mas no quartinho de Poliana, sentada em uma das cadeiras de encosto reto. Desde que Poliana chegara, a senhorita Polly com frequência se via em situações parecidas, fazendo algo inesperado, surpreendente e completamente diferente daquilo que ela pretendia fazer no início!

– Adoro receber visitas – repetiu Poliana, que andava de um lado para o outro como se ofertasse a hospitalidade de um palácio. – Especialmente depois de eu vir para este quarto, que é só meu, sabe. Ah, é claro, eu sempre tive um quarto, mas era um quarto alugado, e quartos alugados nunca são tão bonitos quanto quando o quarto é nosso, não é mesmo? E é claro que este quarto é meu, não é?

– Ora, s-sim, Poliana – murmurou a senhorita Polly, que ficou se perguntando por que ela não havia se levantado de uma vez para ir procurar o xale.

– E é claro que *agora* eu amo este quarto, mesmo que ele não contenha as cortinas e os quadros que eu queria... – Enrubescendo, Poliana se conteve. Ela estava começando a falar outra frase completamente diferente quando sua tia a interrompeu de maneira brusca.

– O que é isso Poliana?

– N-nada, tia Polly, de verdade. Não falei por mal.

– Provavelmente não – retrucou com frieza a senhorita Polly. – Mas você começou a falar; então, quero ouvir o resto.

– Mas não era nada demais, só que eu meio que estava planejando ter tapetes e cortinas de renda lindos e coisas desse tipo, sabe? Mas, é claro que…

– *Planejando* ter essas coisas?! – interrompeu a senhorita Polly abruptamente.

Poliana ficou ainda mais corada de vergonha.

– Eu sei que não deveria ter feito isso, é claro, tia Polly – se desculpou ela. – Foi apenas porque eu sempre quis ter essas coisas e nunca tive, eu imagino. Ah, uma vez vieram dois tapetes no pacote de doações, mas eles eram pequenos, sabe, e um deles tinha manchas de tinta, e o outro, furos; e nunca vieram nos pacotes mais quadros além daqueles dois: o que o papa... quero dizer, o quadro bom, que nós vendemos, e o quadro ruim, o que quebrou. É claro que se não fosse por conta de tudo isso eu não iria querer tanto coisas tão bonitas, é o que quero dizer; e eu não devia ter feito planos quando caminhei pelo corredor naquele primeiro dia, e... e… mas, de verdade, tia Polly, foi apenas por um minuto… quero dizer, alguns minutos… antes que eu ficasse contente pelo fato de a escrivaninha *não ter* um espelho, porque assim ele não refletiria minhas sardas; e não há quadro mais bonito do que este que se vê da minha janela, e a senhora tem sido tão boa comigo que...

A senhorita Polly ficou de pé de repente. Seu rosto estava muito vermelho.

– Basta, Poliana – disse ela secamente. – Você já falou o bastante.

No instante seguinte ela já havia descido as escadas, e apenas quando chegou ao primeiro andar é que de repente se lembrou de que havia ido até o sótão para procurar um xale de lã branca no baú de cedro perto da janela do leste.

Menos de 24 horas depois, a senhorita Polly disse sem rodeios para Nancy:

– Nancy, agora de manhã você pode levar as coisas de Poliana para o quarto que fica embaixo daquele em que ela está. Decidi que por agora a minha sobrinha vai dormir lá.

– Sim, senhora – disse Nancy em voz alta.

"Glória a Deus!" – disse Nancy para si mesma.

Para Poliana, um minuto mais tarde, ela gritou de alegria:

– Escute só o que tenho para lhe dizer, senhorita Poliana. Agora a senhorita vai dormir no andar de baixo, no quarto que fica bem embaixo deste. Vai sim! Vai sim!

Poliana ficou realmente lívida.

– Quer dizer... ora, Nancy, não pode ser verdade... é sério mesmo?

– Acho que a senhorita vai acreditar que é verdade, que é sério mesmo – profetizou exultante Nancy, balançando a cabeça em afirmação para Poliana e levando em um dos braços os vestidos da menina, que ela havia retirado do *closet*. – Ela me mandou levar suas coisas para baixo, e vou fazer isso agora mesmo, antes que ela tenha chance de mudar de ideia.

Poliana não esperou para ouvir o final dessa última frase. Correndo o risco de a qualquer momento cair de cabeça, voou escada abaixo, descendo dois degraus de cada vez.

Depois de bater duas portas e derrubar uma cadeira, ela, por fim atingiu seu objetivo: tia Polly.

– Ah, tia Polly, tia Polly, é verdade mesmo? Ora, mas aquele quarto tem *tudo*: o tapete, as cortinas, três quadros, além daquele que se vê da janela, que tem a mesma vista da janela do quarto do sótão. Ai, tia Polly!

– Muito bem, Poliana. Fico grata por você ter apreciado a mudança, é claro; mas se você preza tanto por essas coisas, confio que vai cuidar bem delas; pronto, é só isso. Poliana, por favor, levante aquela cadeira; e você bateu duas portas nos últimos trinta segundos. – A senhorita Polly falou com severidade, e com mais severidade do que de costume, pois, por uma razão inexplicável, ela teve vontade de chorar, e a senhorita Polly não estava habituada a sentir vontade de chorar.

Poliana botou a cadeira no lugar.

– Sim, senhora; eu sei que bati essas portas – confessou ela alegremente. – Sabe, eu tinha acabado de saber do quarto novo, e acho que a senhora também teria batido portas se... – Poliana se deteve e encarou a tia com um renovado interesse. – Tia Polly, a senhora algumas vez já *bateu* portas?

– Espero que... não, Poliana! – retrucou a senhorita Polly com a voz chocada.

– Ora, tia Polly, que pena! – Poliana estampava uma expressão de preocupada solidariedade.

– Uma pena! – repetiu tia Polly, que estava muito aturdida para dizer algo mais.

– Sim. Sabe, se a senhora tivesse sentido vontade de bater portas, já o teria feito, é claro; e se não o fez, isso só pode significar que a senhora jamais ficou contente por alguma coisa, pois, senão, teria batido umas portas. A senhora não conseguiria se conter. E eu sinto muito que a senhora jamais tenha ficado contente por alguma coisa!

– *Poliana*! – arquejou a senhora; mas Poliana já tinha saído dali, e foi apenas a batida distante da porta das escadas do sótão que respondeu pela menina. Poliana havia subido para ajudar Nancy a descer com "suas coisas".

A senhorita Polly, na sala de estar, sentiu-se levemente perturbada; ora essa... é claro que ela já *havia* ficado contente... por algumas coisas!

Capítulo 11
Apresentando Jimmy

Chegou agosto. O mês trouxe várias surpresas e algumas mudanças, e nenhuma delas foi realmente uma surpresa para Nancy. Desde a chegada de Poliana, Nancy passara a esperar por surpresas e mudanças.

Primeiro foi o gatinho.

Poliana encontrou o gatinho miando de desespero a certa distância da estrada. Depois de perguntar a todos os vizinhos de quem era o gatinho e não encontrar o dono, Poliana decidiu levá-lo para casa naquele momento mesmo, é claro.

– E fiquei muito contente por não ter encontrado o dono – confidenciou ela com alegria à sua tia. – porque desde que o encontrei que eu queria trazê-lo para casa. Eu adoro gatinhos. Eu sabia que a senhora ficaria contente de deixá-lo morar aqui.

A senhorita Polly olhou para a desamparada e miserável bolinha cinza nos braços de Poliana e sentiu calafrios: senhorita Polly não gostava de gatos, nem dos que eram bonitos, saudáveis e limpos.

– Credo, Poliana! Que criatura imunda! E está doente, posso apostar; deve estar coberto de sarna e de pulgas.

– Eu sei, pobrezinho – respondeu Poliana enquanto acalentava com carinho o bichinho e encarava seus olhinhos assustados. – E ele está tremendo todo também, pois está com muito medo. É que ele ainda não sabe que vamos ficar com ele, é claro.

– Não sabe mesmo… ninguém sabe, nem nós – retrucou a senhorita Polly enfaticamente.

– Ah, sabem sim – Poliana balançou a cabeça, não entendendo o comentário da tia. – Eu disse para todo o mundo que ficaríamos com ele se eu não encontrasse o dono. Eu sabia que a senhora iria ficar contente de ter essa pobre coisinha solitária!

A senhorita Polly abriu a boca e tentou falar, mas foi em vão. A sensação curiosa de impotência que ela vinha sentindo desde a chegada de Poliana agora se tornara mais intensa.

– É claro que eu sabia – disse apressada Poliana, em gratidão – que a senhora não ia deixar um gatinho lindo e solitário sem casa logo depois de *me* acolher aqui; e eu disse isso à senhora Ford quando ela me perguntou se a senhora iria me deixar ficar com ele. Afinal, pelo menos eu tinha a companhia das senhoras da Sociedade Auxiliadora Feminina, sabe, e o gatinho não tinha ninguém. Eu sabia que a senhora iria pensar assim – disse Poliana radiante, enquanto corria para fora do cômodo.

– Mas, Poliana, Poliana – protestou a senhorita Polly. – Eu não...
– No entanto, Poliana já estava a meio caminho da cozinha, gritando:

– Nancy, Nancy, olhe só esse lindo gatinho que a tia Polly vai criar junto comigo! – Na sala de estar, tia Polly, que detestava gatos, se jogou em sua cadeira com um arquejo desalentado, impotente demais para reclamar.

No dia seguinte foi um cachorro, talvez ainda mais sujo e desamparado do que o gatinho; e mais uma vez a senhorita Polly, para espanto dela mesma, se viu sendo retratada como um tipo de anjo misericordioso e protetor, um papel que Poliana atribuiu a ela com tanta determinação e naturalidade que a mulher, que detestava cachorros mais ainda do que gatos, se é que isso é possível, se sentiu como antes, impotente demais para reclamar.

Mas, quando, menos de uma semana depois, Poliana trouxe para casa um garotinho maltrapilho, e confiantemente declarou que iria cuidar dele da mesma maneira, a senhorita Polly teve de dizer alguma coisa. O caso aconteceu assim:

Em uma agradável manhã de quinta-feira, Poliana estava mais uma vez levando geleia de mocotó para a senhora Snow. Agora, a senhora Snow e Poliana já eram melhores amigas. Sua amizade começara a partir da terceira visita de Poliana, depois da visita em que ela havia contado à senhora Snow sobre o jogo. A própria senhora Snow passara a jogar com Poliana. Na verdade, ela não estava jogando muito bem: ela passara tanto tempo se lamentando por tudo que não era fácil para ela ficar contente com coisa nenhuma agora. Mas, com as alegres instruções de Poliana e suas risadas cada vez que a doente errava, a senhora Snow estava aprendendo rápido a jogar. Naquele dia, inclusive, para o deleite de Poliana, ela dissera que havia ficado contente por Poliana ter trazido geleia de mocotó, porque era exatamente aquilo que ela queria: ela não sabia que Milly, na porta de entrada, já dissera a Poliana que a esposa do pastor havia mandado naquele mesmo dia uma tigela enorme da mesma geleia.

Poliana estava naquele momento pensando nisso quando de repente viu o menino.

O menino estava sentado em um triste montinho de terra à beira da estrada talhando displicentemente um graveto.

– Olá – disse Poliana com um sorriso simpático.

O menino ergueu os olhos e, em seguida, voltou a desviar o olhar.

– Diga olá para si mesma – resmungou ele.

Poliana riu.

– Você está com cara de quem não ficaria contente nem com geleia de mocotó – falou ela dando uma risada e parando diante do menino.

O menino se moveu, inquieto, lançou um olhar de surpresa para Poliana e voltou a talhar o graveto com uma faca cega e com a lâmina quebrada em sua mão.

Poliana hesitou e depois se sentou confortavelmente na grama perto dele. Apesar da afirmação corajosa de Poliana de que ela estava habituada às "senhoras da Sociedade Auxiliadora Feminina" e "não se importava", ela algumas vezes havia desejado ter alguém da idade dela para lhe fazer companhia. Por isso estava tão determinada em fazer amizade com o menino.

– Meu nome é Poliana Whittier – disse ela em um tom de voz agradável. – E o seu?

Mais uma vez, o menino se mexeu, inquieto. Ele inclusive fez menção de se levantar, mas voltou a ficar onde estava.

– Jimmy Bean – resmungou ele indiferente.

– Que bom! Agora fomos apresentados. Fico contente por você ter feito a sua parte; sabe, tem certas pessoas que não fazem. Eu moro na casa da senhorita Polly Harrington. Onde você mora?

– Em lugar nenhum.

– Em lugar nenhum!? Não pode ser: todo mundo mora em algum lugar – afirmou Poliana.

– Bem, eu não... por enquanto. Estou procurando uma casa nova.

– Oh! Onde?

O menino a encarou com um olhar zombeteiro.

– Sua boba! Se eu soubesse onde, não estaria procurando!

Poliana inclinou a cabeça de leve para o lado. Esse garoto não era simpático, e ela não gostava nada de ser chamada de "boba". Ainda assim, ele era alguém que não era um adulto. – Onde você morava... antes? – indagou ela.

– Gente, mas como você gosta de fazer perguntas! – suspirou impaciente o menino.

– Eu tenho de ser assim – retrucou Poliana com calma –, do contrário, eu não saberia nada sobre você. Se você falasse mais, eu não precisaria falar tanto assim.

O garoto deu uma risada rápida. Era uma risada forçada, não espontânea, mas seu rosto pareceu um pouco mais agradável quando ele voltou a falar.

– Então está bem, aqui vai! Eu me chamo Jimmy Bean e tenho 10 anos, quase 11. Vim para cá no ano passado para morar no orfanato; mas lá tem tantas crianças que não sobra muito lugar para mim, e ninguém nunca me quis de qualquer jeito, pelo menos eu acho que não. Então, desisti de morar lá. Vou morar em algum outro lugar, só não o encontrei ainda. *Gostaria* de morar em uma casa, uma casa simples, sabe, com uma mãe em vez de uma supervisora. Se você tem uma casa, tem família; e eu não tenho família desde que... meu pai morreu. Então, agora estou procurando uma casa. Já tentei quatro casas, mas ninguém me quis, apesar de eu ter dito que esperava trabalhar em troca, é claro. Pronto! Isso é tudo o que você queria saber? – A voz do menino havia ficado um tanto embargada nas duas últimas frases.

– Puxa, que pena! – solidarizou-se Poliana. – E não o aceitaram em nenhuma casa? Meu Deus! Sei como você se sente, porque depois… depois que meu pai também morreu, eu fiquei sem ninguém, exceto pelas senhoras da Sociedade Auxiliadora Feminina, até que a tia Polly disse que aceitaria... – Poliana se deteve abruptamente. O surgimento de uma ideia maravilhosa começava a ficar estampado em seu rosto.

– Ah, eu conheço o lugar ideal para você – gritou ela. – A tia Poli vai abrigá-lo, eu sei que ela vai! Ela não me abrigou? E ela também não abrigou o Fluffy e o Buffy, que também não tinham ninguém que os amasse, nem casa? E olha que eles são apenas um gato e um cachorro. Ai, venha comigo, eu sei que a tia Polly vai abrigar você! Você não sabe como ela é boa e generosa!

O rosto magro de Jimmy Bean se iluminou.

– É sério? Você acha que ela me abrigaria? Posso trabalhar em troca, sabe, e sou muito forte! – disse ele mostrando um braço pequeno e esquálido.

– Mas é claro que sim! Ora, minha tia Polly é a mulher mais simpática do mundo... agora que a minha mãe virou um anjo celestial. E na casa há quartos… montanhas deles – prosseguiu ela, que se levantou e puxou Jimmy pelo braço. – A casa é muito grande. Mas talvez – acrescentou um tanto ansiosa, à medida que eles caminhavam apressadamente –, talvez você tenha de dormir no quarto do sótão. Eu dormi lá quando cheguei. Mas agora lá tem telas mosquiteiras, então, não vai fazer tanto calor, e as moscas não vão conseguir entrar trazendo aquele negócio de germes nos pés. Você sabia disso? É maravilhoso! Talvez ela deixe você ler o livro se você se comportar… quero dizer, se você não se comportar. E você tem sardas também – comentou ela com um olhar crítico –, então, vai ficar contente por não haver espelho nenhum ali; e o quadro do lado de fora é muito mais bonito do que qualquer quadro de parede jamais poderia ser; então, você não vai se importar nem um pouco de dormir naquele quarto, tenho certeza – disse uma ofegante Poliana, que de súbito descobriu que precisava do fôlego que lhe restava para fazer outras coisas além de falar.

– Meu Deus! – exclamou Jimmy Bean de modo sucinto e um tanto confuso, mas admirado. Depois, acrescentou: – Nunca pensei que alguém que consegue falar tanto e correr ao mesmo tempo pudesse precisar fazer tantas perguntas para preencher o tempo!

Poliana riu.

– Bem, de qualquer modo, você pode ficar contente por isso – retrucou ela. – Pois, quando eu estou falando, *você* não precisa falar!

Quando chegaram à casa, Poliana, sem hesitar, conduziu seu acompanhante até onde estava a tia, que ficou muito surpresa.

– Oh, tia Polly – falou ela triunfante –, olhe só! Trouxe uma coisa ainda melhor do que o Fluffy e o Buffy para a senhora criar. É um menino de carne e osso. Ele não vai se importar nem um pouco de dormir no sótão, a princípio, sabe, e ele disse que pode trabalhar em retribuição; mas eu vou precisar dele quase o tempo todo para brincar, eu acho.

A senhorita Polly ficou lívida, e, depois, muito corada. Ela não conseguia entender direito; mas achou que tinha entendido o bastante.

– Poliana, o que significa isso? Quem é esse garotinho imundo? Onde você o encontrou? – indagou ela com severidade.

O "garotinho imundo" deu um passo para trás e olhou em direção à porta. Poliana riu de alegria.

– Olha só, me esqueci de dizer o nome dele! Sou tão ruim quanto o Homem. E ele está imundo mesmo, não é? Quero dizer, o menino está… assim como o Fluffy e o Buffy estavam quando você os abrigou. Mas acho que ele vai melhorar muito depois de um banho, assim como o Fluffy e o Buffy, e... Ah, e eu quase esqueci outra vez – disse ela soltando uma gargalhada. – Este é Jimmy Bean, tia Polly.

– Bem, e o que ele está fazendo aqui?

– Ora, tia Polly, eu acabei de lhe contar! – Os olhos de Poliana se arregalaram de surpresa. – Ele é para a senhora. Trouxe-o para casa... para que ele more aqui, sabe. Ele quer uma casa e uma família. Eu disse a ele como a senhora era boa para mim, o

Fluffy e o Buffy, e que eu sabia que a senhora seria muito bondosa com ele também, porque ele é ainda mais bonito do que cachorros e gatos.

A senhorita Polly se recostou em sua cadeira e colocou a mão trêmula na garganta. A já conhecida sensação de impotência estava ameaçando dominá-la mais uma vez. No entanto, visivelmente se esforçando, a senhorita Polly de súbito se empertigou.

– Basta, Poliana. Esta é a coisa mais absurda que você já fez até agora. Como se gatos de rua e cachorros sarnentos não fossem ruins o bastante, você ainda por cima me traz para casa mendigozinhos maltrapilhos da rua, que...

O garoto de repente se manifestou. Seus olhos faiscaram e ele ergueu o queixo. Com dois passos largos de suas perninhas fortes, ele confrontou destemidamente a senhorita Polly.

– Não sou mendigo, senhora, e não quero nada seu. Estava oferecendo trabalho, é claro, em troca de casa e comida. E, de todo modo, eu não teria vindo para sua casa velha se essa garota aqui não tivesse me arrastado, dizendo como a senhora era boa e generosa, e que estaria mais do que disposta a me abrigar. Pronto, falei! – Ele deu meia-volta e marchou para fora do cômodo com uma dignidade que seria absurda se não fosse lamentável.

– Oh, tia Polly – reclamou chorando Poliana. – Mas eu achei que a senhora ficaria *contente* em recebê-lo aqui! Tive certeza de que ficaria contente...

A senhorita Polly levantou a mão, fazendo um gesto autoritário para que Poliana ficasse em silêncio. Aquela tinha sido a gota d'água para a senhorita Polly. As palavras "boa e generosa", ditas, pelo menino, ainda ecoavam em seus ouvidos, e a já conhecida sensação de impotência estava quase dominando-a, ela sabia disso. Ainda assim, reuniu forças com o pouco que lhe restava de sua força de vontade.

– Poliana – gritou secamente ela –, *será* que você pode parar de falar a palavra "contente" o tempo todo?! É "contente, contente, contente" dia e noite, até o ponto em que eu acho que vou enlouquecer!

Poliana ficou boquiaberta de pura surpresa.

– Ora, tia Polly – disse ela depois de respirar fundo –, eu achei que a senhora iria ficar contente de ter... Oh! – ela se deteve, levou as mãos à boca, e saiu do cômodo correndo sem direção.

Antes de o garoto chegar no fim da entrada para carruagens da casa, Poliana o alcançou.

– Menino! Menino! Jimmy Bean, quero que você saiba... que eu sinto muito – disse ela ofegante enquanto o agarrava com a mão firme.

– Não sente nada! Eu não culpo você – retrucou taciturno o menino. – Mas eu não sou nenhum mendigo! – acrescentou ele com um ânimo repentino.

– É claro que você não é! Mas você não deve botar a culpa na titia – suplicou Poliana. – Eu quem não fez as apresentações de maneira correta; e acho que eu também não falei para ela muito sobre você. Ela é boa e generosa, de verdade... sempre foi; mas não expliquei direito as coisas. Mas eu realmente gostaria de encontrar um lugar para você, apesar de tudo!

O menino deu de ombros e fez menção de dar meia-volta.

– Deixa para lá. Acho que consigo encontrar uma casa eu mesmo. Eu não sou mendigo, sabe.

Poliana, pensativa, franziu as sobrancelhas. De repente, se virou, com o rosto iluminado.

– Vou lhe dizer o que eu *vou* fazer! A Sociedade Auxiliadora Feminina se reúne esta tarde. Eu ouvia a tia Polly dizer isso. Vou apresentar seu caso para elas. Isso é o que meu pai sempre fazia quando queria alguma coisa, qualquer coisa, desde educar os pagãos até tapetes novos, sabe.

O menino se virou com fúria.

– Mas eu não sou pagão ou um tapete novo. Além disso, o que é a Sociedade Auxiliadora Feminina?

Poliana, chocada, encarou o menino com desaprovação.

– Ora, Jimmy Bean, se não conhece a Sociedade Auxiliadora Feminina, onde você foi criado?

– Se você não quiser me contar, pouco me importa – resmungou o menino, que se virou e começou a ir embora com indiferença.

Poliana foi para o lado dele imediatamente.

– É... é... só um monte de senhoras que se encontram e costuram e organizam jantares e arrecadam dinheiro e... e conversam; isso é a Sociedade Auxiliadora Feminina. Elas são muito bondosas... quer dizer, a maioria das que conheci na minha cidade eram. Não conheço a sociedade daqui, mas todas elas são boas, eu acho. Vou falar de você para elas hoje à tarde.

Mais uma vez o garoto se virou com fúria.

– Não vai mesmo! Se você acha que eu vou ficar ouvindo um *grupo* de mulheres me chamar de mendigo em vez de uma só, pode esquecer!

– Ah, mas você não estaria presente – argumentou Poliana com rapidez. – Eu iria sozinha, é claro, e falaria com elas.

– Você faria isso?

– Sim, e vou contar sua história melhor dessa vez – disse Poliana apressadamente, ansiosa para ver as feições do garoto se suavizarem. – Alguma delas com certeza vai lhe oferecer uma casa de bom grado.

– Eu trabalho em troca... não se esqueça de dizer isso – avisou o menino.

– É claro que não vou esquecer – prometeu Poliana com alegria, certa de que agora tinha convencido o menino com seus argumentos. – Dou notícias amanhã.

– Onde?

– Na beira da estrada... onde eu encontrei você hoje; perto da casa da senhora Snow.

– Tudo bem. Estarei lá. – O garoto fez uma pausa antes de seguir caminhando devagar. – Talvez então seja melhor eu voltar para o orfanato só por esta noite. Eu não tenho outro lugar onde ficar, sabe; e... e eu só saí de lá hoje de manhã. Saí despercebido. Não avisei a eles que eu não pretendia voltar, senão eles iam fingir que eu não podia mais voltar, apesar de eu achar que eles não ficariam preocupados caso eu não voltasse. Eles não são como *pais*, sabe. Eles não *se importam*!

– Eu sei – concordou Poliana com um olhar de compreensão. – Mas tenho certeza de que, quando eu encontrar você amanhã, vou ter conseguido uma casa normal e uma família que realmente se importa com você. Tchau! – disse ela radiante enquanto se virava e voltava para casa.

Na janela da sala de estar naquele momento, a senhorita Polly, que ficara observando as duas crianças, seguiu com olhos sérios o garoto até que uma curva da estrada fez com que ele sumisse de vista. Depois, ela suspirou, se virou e subiu as escadas sem energia; e a senhorita Polly não costumava se mexer sem energia. As palavras de desdém do garoto ainda ecoavam em seus ouvidos: "Você é tão boa e generosa." Em seu coração ela sentia uma estranha sensação de desolação, como se ela tivesse perdido algo.

Capítulo 12

Antes da Sociedade Auxiliadora Feminina

O almoço, que era servido ao meio-dia no solar dos Harrington, foi uma refeição silenciosa no dia da reunião da Sociedade Auxiliadora Feminina. Poliana de fato tentou falar, mas sem sucesso, principalmente porque teve de se conter quatro vezes para não falar a palavra "contente", o que a deixou incomodada e corada. Na quinta vez em que isso aconteceu, a senhorita Polly balançou a cabeça, exausta.

– Chega, menina, diga a palavra se você quiser – suspirou ela. – Se vai provocar essa comoção toda, prefiro que você fale essa palavra.

O rosto emburrado de Poliana relaxou.

– Ah, obrigada. Acho que seria difícil demais... não dizê-la. Sabe, é que faz muito tempo que eu jogo.

– Você… o quê? – indagou a tia Polly.

– Jogo… o jogo, sabe, que o papai… – Poliana se deteve e voltou a ficar corada pelo fato de ela estar mais uma vez usando uma palavra proibida.

A tia Polly franziu as sobrancelhas mas não disse nada. O restante da refeição foi consumido em silêncio.

Poliana não sentiu pena de sua tia ao ouvi-la dizer por telefone à esposa do pastor, um pouco depois, que ela não compareceria à reunião da Sociedade Auxiliadora Feminina daquela tarde por conta de uma dor de cabeça. Quando a tia Polly subiu as escadas até o quarto dela, Poliana tentou sentir pena pela dor de cabeça; mas não pôde evitar ficar contente pelo fato de a tia não estar presente naquela tarde enquanto ela apresentava o caso de Jimmy Bean para as senhoras da Sociedade Auxiliadora Feminina. Ela não conseguia esquecer que a tia Polly havia chamado Jimmy Bean de mendigozinho; e ela não queria que a tia Polly o chamasse assim na frente das senhoras da Sociedade Auxiliadora Feminina.

Poliana sabia que a sociedade se reunia às duas da tarde na capela ao lado da igreja, a menos de oitocentos metros da sua casa. Ela planejou sua ida, portanto, para chegar lá um pouco antes das três.

– Quero que todas elas estejam presentes – disse ela para si mesma. – Pois pode calhar de justo a senhora que vai querer abrigar o Jimmy Bean não chegar a tempo; além disso, duas horas sempre significa três para as senhoras da Sociedade Auxiliadora Feminina.

Silenciosa, porém confiante, Poliana subiu a escada da capela, abriu a porta e entrou no vestíbulo. Um suave falatório de vozes femininas e risadas veio do cômodo principal. Hesitando apenas por um breve instante, Poliana abriu uma das portas internas.

O falatório parou e as senhoras pareciam surpresas. Poliana entrou, um tanto tímida. Agora que havia chegado a hora, ela se sentia estranhamente envergonhada. Afinal de contas, aqueles rostos meio estranhos e meio conhecidos olhando para ela não eram os das queridas senhoras da Sociedade Auxiliadora Feminina que ela conhecia.

– Como vão as senhoras? – titubeou ela educadamente. – Eu me chamo Poliana Whittier. Eu… eu acho que algumas das senhoras talvez me conheçam. De todo modo eu *as* conheço... só não as conheço todas juntas desse jeito.

O silêncio era tamanho que quase dava para tocá-lo. Algumas das senhoras de fato conheciam essa sobrinha extraordinária de sua colega de sociedade, e quase todas já tinham ouvido falar dela; mas nenhuma das senhoras conseguiu pensar em algo para dizer naquele momento.

– Eu… eu vim aqui para… para apresentar um caso para as senhoras – gaguejou Poliana depois de um instante sem perceber que estava usando as mesmas as palavras do pai.

Ouviu-se um rangido de leve.

– Foi… foi sua tia quem mandou você vir até aqui, minha querida? – perguntou a senhora Ford, a esposa do pastor.

Poliana ficou um pouco corada.

– Ah, não. Eu vim por conta própria. Sabem, eu estou acostumada com as senhoras da Sociedade Auxiliadora Feminina. Foram as senhoras da Sociedade Auxiliadora Feminina que me criaram... junto com meu pai.

Alguém soltou uma risada nervosa, e a esposa do pastor franziu as sobrancelhas.

– Sim, querida. O que houve?

– Bem, trata-se do... do Jimmy Bean – suspirou Poliana. – Ele não tem casa, exceto o orfanato, que está cheio e, de todo modo, não o querem lá, ele acha. Então, está procurando outra casa. Ele quer uma casa comum, que tenha uma mãe, e não uma supervisora, enfim, uma família que cuide dele. Ele tem 10 anos, quase 11. Pensei que algumas das senhoras talvez pudessem gostar dele... para morar, sabe.

– Ora essa! – murmurou uma voz que rompeu o silêncio de espanto que se seguiu às palavras de Poliana.

Com olhos ansiosos, Poliana percorreu o círculo de rostos à sua volta.

– Ah, eu me esqueci de dizer: ele está disposto a trabalhar em troca – concluiu ela, ansiosa.

O grupo permaneceu em silêncio; depois, uma ou duas mulheres começaram a lhe fazer perguntas. Depois de algum tempo, todas já conheciam a história e começaram a conversar entre si com animação, mas não muito agradavelmente.

Poliana, cada vez mais ansiosa, prestou atenção ao que elas diziam. Algumas das coisas que foram ditas ela não conseguiu entender. Depois de algum tempo, no entanto, conseguiu entender que não havia entre elas ninguém que pudesse abrigar o menino, apesar de cada uma das mulheres parecer pensar que alguma das outras poderia abrigá-lo, pois havia várias delas que já não tinham crianças pequenas em casa. Mas nenhuma delas concordou em abrigá-lo. Depois, ela ouviu a esposa do pastor sugerir, de maneira tímida, que elas, na condição de uma sociedade, talvez pudessem se responsabilizar por seus cuidados e sua educação em vez de mandar tanto dinheiro este ano para criancinhas na longínqua Índia.

Então, muitas das senhoras começaram a falar, e várias falavam ao mesmo tempo, e ainda mais alto e com um tom ainda maior de insatisfação do que antes. Parecia que a sociedade delas era famosa pelas doações para missões hindus, e várias delas disseram que iriam morrer de desgosto se a doação deste ano fosse menor. Mais uma vez, Poliana achou que não poderia ter entendido trechos do que foi dito, pois quase parecia que elas não se importavam com o que o dinheiro *poderia fazer*, desde que, em determinado "relatório", ao lado da quantia e encabeçando a lista, estivesse o nome da sociedade, e é claro que era impossível que fosse isso mesmo que elas quisessem dizer! Mas tudo era muito confuso e pouco agradável, tanto que Poliana ficou contente quando deu por si do lado de fora do prédio, no ar doce e silencioso; mas ela também sentia muito, pois sabia que não seria fácil dizer a Jimmy Bean no dia seguinte que as senhoras da Sociedade Auxiliadora Feminina haviam decidido que preferiam gastar todo o dinheiro delas para ajudar a criar meninos indianos do que juntar a quantia suficiente para criar um garotinho daquele mesmo vilarejo, pois isso "não contaria pontos a favor delas no relatório", segundo uma senhora alta de óculos.

– É claro que é uma coisa boa mandar dinheiro para os pagãos, e eu não gostaria que elas deixassem de mandar *algum dinheiro* para lá – suspirou Poliana para si mesma à medida que caminhava exausta e triste. – Mas elas agiram como se os garotinhos daqui não contassem, apenas os garotinhos de terras distantes. Eu *acho*, no entanto, que elas iriam preferir ver o Jimmy Bean crescer a simplesmente ver um relatório!

Capítulo 13

No bosque de Pendleton

Poliana não foi direto para casa quando saiu da capela. Em vez disso, andou até a colina de Pendleton. Aquele havia sido um dia difícil, apesar de ter sido um dia de "férias" (como ela chamava os raros dias em que não havia aulas de costura ou de culinária), e Poliana estava certa de que nada faria tão bem a ela quanto um passeio pelo verdejante e silencioso bosque de Pendleton. Subindo a colina de Pendleton, portanto, ela andou com passos firmes, apesar do sol quente nas suas costas.

– De qualquer jeito, só preciso voltar para casa às cinco e meia da tarde – dizia ela a si mesma. – E vai ser muito mais agradável chegar até lá pelo bosque, por mais que eu tenha de enfrentar uma subida para chegar lá.

O bosque de Pendleton era muito bonito, como Poliana sabia por experiência própria. Mas hoje ele parecia ainda mais encantador, apesar de sua decepção com relação a o que teria de contar a Jimmy Bean no dia seguinte.

– Queria que todas aquelas senhoras que falaram alto estivessem aqui em cima – suspirou Poliana para si mesma enquanto erguia os olhos para trechos de um azul vívido entre as copas iluminadas das árvores. – De qualquer modo, se elas estivessem aqui em cima, acho que mudariam de ideia e abrigariam o Jimmy Bean – concluiu ela totalmente convencida, mas incapaz de dar um motivo, inclusive para si mesma, para sua convicção.

De repente, Poliana levantou a cabeça e ouviu com atenção. Um cachorro latira a certa distância dela. Um instante depois, ele veio correndo e ainda latindo em direção a ela.

– Olá, cachorrinho... olá! – Poliana estalou os dedos para o cachorro e olhou esperançosa trilha abaixo. Ela já havia visto aquele cachorro antes, tinha certeza. Ele havia estado com o Homem, o senhor John Pendleton. Agora, ela olhava, na esperança de vê-lo. Durante alguns minutos ela observou com ansiedade, mas ele não apareceu. Depois, dedicou sua atenção ao cachorro.

O cachorro, como até Poliana conseguia perceber, estava agindo de modo estranho. Ele ainda estava latindo, dando gritinhos agudos e curtos, como se quisesse avisar sobre algo. Ele também corria de um lado para o outro na trilha. Eles logo chegaram a uma trilha lateral, que o cachorro desceu com velocidade, mas voltou imediatamente, gemendo e latindo.

– Epa! Esse não é o caminho de casa – riu Poliana enquanto se mantinha na trilha principal.

O cachorrinho agora estava frenético. De um lado para o outro, de um lado para o outro, ele pulava entre Poliana e a trilha lateral, latindo com tristeza. Cada tremor de seu corpinho marrom e cada olhar de seus suplicantes olhos castanhos eram carregados de um clamor eloquente, tão eloquente que por fim Poliana compreendeu, se virou e foi atrás dele.

Agora, na frente de Poliana, o cachorrinho saiu correndo como um louco; e ela não tardou a entender o motivo por trás daquilo tudo: havia um homem deitado e imóvel na base de um rochedo íngreme a apenas alguns metros da trilha lateral.

Um graveto se partiu, emitindo um som agudo sob o pé de Poliana, e o homem virou a cabeça. Com um grito consternado, Poliana correu para o lado do homem.

– Senhor Pendleton! Oh, o senhor se machucou?

– Machucado? Ah, não! Estava apenas fazendo a sesta à luz do sol – retrucou irritado o homem. – Olhe aqui, o quanto você sabe? O que você pode fazer? Você tem uma gota de bom senso?

Poliana recobrou o fôlego com um leve arquejo, mas – como era costume dela – respondeu as perguntas literalmente, uma por uma.

– Ora, senhor Pendleton, eu... eu não sei muito, e não posso fazer muitas coisas; mas a maioria das senhoras da Sociedade

Auxiliadora Feminina, exceto a senhora Rawson, me disse que eu tinha muito bom senso.

O homem deu um sorriso triste.

– Calma, calma, minha filha, peço desculpas pelos meus modos; é essa minha maldita perna. Agora, escute aqui. – Ele fez uma pausa e, com certa dificuldade, colocou a mão no bolso, alcançou o chaveiro e segurou uma das chaves entre o indicador e o polegar. – Seguindo reto por esta trilha, em cinco minutos você chega na minha casa. Esta chave abre a porta lateral da casa, embaixo do pórtico. Você sabe o que é pórtico?

– Ah, sim, senhor. A titia tem um com um solário em cima. Foi nesse telhado em que eu dormi... só que acabei não dormindo. Eles me encontraram antes.

– Hein? Ah! Bem, quando você entrar na casa, passe direto pelo saguão e pelo corredor, e vá para a porta no final dele. Na mesa grande e de tampo plano no meio do cômodo, você vai encontrar um telefone. Você sabe usar um telefone?

– Ah, sim, senhor! Ora, certa vez, quando a tia Polly…

– Esqueça a tia Polly por enquanto – o homem interrompeu fazendo cara feia, enquanto tentava se mexer um pouco.

– Procure o telefone do doutor Thomas Chilton no cartão de visitas que você vai encontrar em algum lugar por ali: ele deveria estar preso ao gancho na lateral da mesa, mas provavelmente não vai estar lá. Você sabe o que é um cartão de visitas, eu suponho?!

– Ah, sim, senhor. Eu adoro os que a tia Polly tem. Tem tantos nomes estranhos neles, e...

– Diga ao doutor Chilton que John Pendleton está no pé do despenhadeiro de Little Eagle, no bosque de Pendleton, com uma perna quebrada, e que ele deve vir imediatamente com uma maca e dois enfermeiros. Ele vai saber o que fazer além disso. Diga a ele que venha pela trilha que sai da minha casa.

– Uma perna quebrada? Oh, senhor Pendleton, que coisa terrível! – disse Poliana com a voz trêmula. – Mas estou muito feliz por ter vindo até aqui! Será que *eu* posso...

– Sim, pode… mas evidentemente que não vai! *Será que* você pode ir fazer o que eu pedi e parar de falar? – disse o homem gemendo de leve. E, chorando e soluçando um pouco, Poliana foi até a casa.

Poliana agora já não parava para olhar os trechos de céu azul entre as copas iluminadas das árvores. Ela ficou olhando para o chão para se certificar de que nenhum graveto ou pedra pelo caminho fosse fazer os seus pés apressados tropeçarem.

Não demorou muito até que ela visse a casa. Ela já tinha visto antes, mas nunca tão de perto assim. Ela estava quase assustada agora com o tamanho da enorme pilha de pedras cinza com sua varanda com pilotis e sua entrada imponente. Parando apenas por um instante, ela correu pelo gramado malcuidado e deu a volta pela casa até a porta lateral, que ficava sob o pórtico. Seus dedos, duros de segurar as chaves com força, não foram nada habilidosos em seus esforços para abrir a tranca; mas, por fim, a pesada e entalhada porta se abriu devagar.

Poliana recobrou o fôlego. Apesar de estar com pressa, ela parou por um momento e olhou assustada pelo saguão para o corredor largo e sombrio à sua frente, com o pensamento dando voltas em sua cabeça. Aquela era a casa de John Pendleton; a casa dos mistérios; a casa em que não entrava ninguém além do dono; a casa que abrigava, em algum lugar, um esqueleto. Ainda assim, esperava-se que ela, Poliana, entrasse sozinha nesses cômodos assustadores e telefonasse para o médico dizendo que o dono da casa estava agora deitado...

Soltando um gritinho, Poliana, sem olhar para a direita ou para a esquerda, correu pelo corredor até a porta no final dele e abriu-a.

O cômodo era grande e sombrio, com madeiras escuras e tapeçarias, assim como no corredor; mas, pela janela que ficava a oeste, o sol lançava um raio comprido e dourado que percorria o chão, brilhava um tanto apagado nos utensílios de latão embaçado da lareira e atingia o telefone niquelado na grande escrivaninha no meio do cômodo. Foi em direção a essa escrivaninha que Poliana apressadamente andou na ponta dos pés.

Os cartões de visitas não estavam presos ao gancho, estavam no chão. Poliana os encontrou e correu os dedos trêmulos por eles até chegar na letra C e encontrar "Chilton." Rapidamente ela ligou para o doutor Chilton e passou sua mensagem, e respondendo às perguntas sucintas e pertinentes do médico. Feito isso, ela desligou o telefone e respirou fundo, aliviada.

Poliana apenas olhou de relance à sua volta; depois, com a visão confundida por cortinas escarlate, estantes abarrotadas de livros, um chão cheio de coisas jogadas, uma mesa desarrumada, incontáveis portas fechadas (cada uma das quais podendo esconder um esqueleto) e poeira, poeira, poeira para todos os lados, ela saiu correndo para fora da casa pelo corredor e pela enorme porta entalhada, que ainda estava entreaberta, como ela a havia deixado.

Em um tempo que pareceu, para o homem ferido, incrivelmente curto, Poliana estava de volta ao bosque, ao lado dele.

– Bem, o que houve? Não conseguiu entrar? – indagou ele.

Poliana arregalou os olhos.

– Ora, é claro que consegui! Estou *aqui* – respondeu ela. – Até parece que eu estaria aqui se não tivesse conseguido entrar! E o médico vai vir para cá o mais cedo possível com os enfermeiros e tudo o mais. Ele disse que sabia exatamente onde o senhor estava, então, não fiquei esperando na casa para mostrar a ele. Eu queria ficar ao seu lado.

– Queria mesmo? – disse o homem enquanto dava um sorriso triste. – Bem, não posso dizer que admiro seu bom gosto. Você é capaz de encontrar companhias mais agradáveis.

– O senhor está dizendo isso... por que é muito... rabugento?

– Obrigado pela franqueza. Sim.

Poliana riu de leve.

– Mas o senhor é apenas rabugento *por fora*... Por dentro, o senhor não é nada rabugento!

– É verdade! Como você sabe disso? – indagou o homem enquanto tentava mudar a posição da cabeça sem mexer o resto do corpo.

– Ah, de muitas maneiras; assim, por exemplo, pelo modo como você trata o cachorro – acrescentou ela apontando para a mão comprida e esbelta pousada sobre a cabeça com pelagem brilhante do cachorro perto dele. – É estranho como cães e gatos sabem como são as pessoas por dentro melhor do que os outros, não é? Falando nisso, vou segurar a cabeça do senhor – concluiu ela abruptamente.

O homem fez expressões de dor várias vezes, e gemeu uma vez de leve, quando Poliana pegou a cabeça dele; mas, no fim das contas, ele achou o colo de Poliana bem mais confortável do que o vão pedregoso em que sua cabeça estava encostada antes.

– Bem, assim é... melhor – murmurou baixinho.

Durante algum tempo, ele não disse mais nada. Poliana, observando seu rosto, ficou se perguntando se ele havia dormido. Ela achava que não. Ele parecia estar apertando os lábios para sufocar os gemidos de dor. A própria Poliana quase chorou alto à medida que via o corpo grande e forte dele estirado e completamente desamparado. Uma das mãos, com dedos bem fechados, estava jogada para um lado, imóvel. A outra, frouxamente aberta, estava pousada na cabeça do cachorro. O cachorro, com os olhos melancólicos e ansiosos grudados no rosto do dono, também estava imóvel.

Minuto após minuto, o tempo passava. O sol começou a se pôr no oeste, e as sombras sob as árvores ficaram maiores. Poliana estava sentada e tão imóvel que parecia nem respirar. Um pássaro pousou destemido ao alcance de uma das mãos dela, e um esquilo balançou seu rabo felpudo em um galho de árvore quase abaixo do nariz da menina, com seus olhinhos brilhantes o tempo todo fixados no cachorro imóvel.

Por fim, o cachorro levantou as orelhas e gemeu de leve; depois, emitiu um latido curto e agudo. Em seguida, Poliana escutou vozes, e logo os donos delas apareceram: três homens carregando uma maca e vários outros apetrechos.

O mais alto do grupo, um homem bem barbeado e de olhos gentis que Poliana conhecia de vista como "Doutor Chilton", se aproximou com entusiasmo.

– Ora, a senhorita está brincando de enfermeira?

– Ah, não, senhor – sorriu Poliana. – Estive apenas segurando a cabeça dele, e não lhe dei qualquer remédio. Mas fico contente por eu ter estado aqui.

– Eu também – concordou o médico enquanto desviava a atenção para o homem ferido.

Capítulo 14

Somente uma questão de geleia

Poliana se atrasou um pouco para o jantar na noite do acidente de John Pendleton; mas, no fim das contas, ela escapou de levar uma bronca.

Nancy a encontrou na porta de entrada.

– Ora, ora, como fico contente de ver a senhorita – suspirou ela com um alívio patente. – Já são seis e meia da tarde!

– Eu sei – admitiu, ansiosa, Poliana. – Mas a culpa não foi minha... de verdade. E eu não acho que a tia Polly vai pensar que foi culpa minha.

– Ela não vai ter a oportunidade – retrucou Nancy com muita satisfação. – Ela partiu.

– Partiu! – arquejou Poliana. – Você não quer dizer que eu espantei ela daqui, não é? – Pela cabeça de Poliana agora passavam lembranças que a enchiam de arrependimento: as manhãs com o garoto, o gato e o cachorro enjeitados, e o malvisto "contente" e o proibido "papai" que vinham subitamente à sua linguinha descuidada. – Ai, *eu não* a espantei daqui, não é?

– Ainda não – zombou Nancy. – Uma prima dela morreu de repente em Boston, e ela teve de viajar. Ela recebeu um daqueles telegramas amarelos depois que a senhorita saiu esta tarde, e só volta daqui a três dias. Agora, acho que podemos ficar realmente contentes. Vamos cuidar da casa juntas, apenas a senhorita e eu, o tempo todo. Vamos sim, vamos sim!

Poliana parecia chocada.

– Contente! Ora, Nancy, quando é o funeral?

– Ah, mas eu não fiquei contente pelo funeral, senhorita Poliana. Foi por... – Nancy se deteve de repente. Um brilho de astúcia invadiu seus olhos. – Ué, senhorita Poliana, mas foi a senhorita quem me ensinou a jogar esse jogo – repreendeu a criada com seriedade.

Poliana franziu as sobrancelhas.

– Não posso evitar, Nancy – argumentou ela balançando a cabeça. – Tem coisas com as quais não está certo jogar, e tenho certeza de que um funeral é uma delas. Não há nada em um funeral que possa deixar alguém contente.

Nancy deu uma risada.

– Podemos ficar contentes pelo fato de não ser o nosso funeral – observou ela recatadamente. Mas Poliana não ouviu. Ela havia começado a contar sobre o acidente e, um instante depois, Nancy, boquiaberta, era toda ouvidos.

No lugar combinado para a tarde seguinte, Poliana encontrou Jimmy Bean. Como era de se esperar, é claro, Jimmy ficou muito decepcionado pelo fato de as senhoras da Sociedade Auxiliadora Feminina preferirem um garotinho indiano a ele.

– Bem, talvez seja natural – suspirou ele. – É claro que as coisas que não conhecemos sempre parecem melhores do que as que conhecemos, assim como a grama do vizinho é sempre mais verde. Eu só queria que alguém em algum lugar bem longínquo sentisse isso por mim. Não seria genial se apenas uma pessoa na Índia quisesse *me* abrigar?

Poliana bateu palmas.

– Ora, mas é claro! É isso mesmo, Jimmy! Vou escrever para as senhoras da minha outra Sociedade Auxiliadora Feminina sobre você. Elas não moram na Índia, moram a oeste daqui; mas, assim como a Índia, fica bem longe. Acho que você também acharia a mesma coisa se tivesse vindo de lá para cá como eu!

O rosto de Jimmy ficou radiante.

– Você acha que elas me abrigariam de verdade? – perguntou ele.

– É claro que sim! Elas não ajudam a criar garotinhos na Índia? Então, elas podem fazer de conta que você é o garotinho indiano dessa vez. Acho que você mora longe o bastante delas para que elas façam um relatório. Espere só. Vou escrever para elas. Vou escrever para a senhora White. Não, para a senhora Jones. A senhora White é a que mais tem dinheiro, mas a senhora Jones é quem doa mais, o que é meio estranho, quando se pensa nisso, não é? Mais acho que alguma delas vai abrigar você.

– Tudo bem... mas não se esqueça de dizer que eu estou disposto a trabalhar em troca de casa e comida – acrescentou Jimmy. – Não sou mendigo, e negócios são negócios, até mesmo quando se trata das senhoras da Sociedade Auxiliadora Feminina, eu acho. – Ele hesitou um instante, e depois disse: – E acho então que é melhor eu ficar onde estou por mais um tempo, até que você tenha notícias.

– É verdade – concordou Poliana. – Assim, vou saber exatamente onde encontrá-lo. E elas vão abrigar você, tenho certeza de que você mora longe o bastante para elas fazerem isso. A tia Poli não abrigou... espere! – Ela se interrompeu de súbito. – *Você* acha que eu sou a indianazinha da tia Polly?

– Gente, você é a criança mais estranha que eu já vi – comentou Jimmy, escancarando um sorriso e se virando para ir embora.

Foi cerca de uma semana após o acidente no bosque de Pendleton que Poliana disse para a tia certa manhã:

– Tia Polly, com licença, mas a senhora se importaria muito se eu levasse a geleia de mocotó da senhora Snow para outra pessoa esta semana? Tenho certeza de que a senhora Snow não vai se importar... só desta vez.

– Cruzes, Poliana, o que você *está* aprontando agora? – suspirou a tia. – Você é uma criança muito extraordinária!

Poliana, um tanto ansiosa, franziu as sobrancelhas.

– Tia Polly, por favor, o que significa extraordinário? Se você é *ex*traordinário, não pode ser *or*dinário, não é?

– Claro que não.

– Ah, tudo bem, então. Fico contente por ser extraordinária – suspirou Poliana, relaxando as feições. – Sabe, a senhora

White costumava dizer que a senhora Rawson era uma mulher muito ordinária, e ela não gostava da senhora Rawson, era horrível. Elas estavam sempre brigan... quero dizer, o papai tinha... ou seja, quero dizer que *nos* custava mais manter a paz entre elas duas do que entre qualquer outra das senhoras da Sociedade Auxiliadora Feminina – se corrigiu Poliana, um pouco sem fôlego por conta de seus esforços para se guiar entre a Cila das recomendações antigas do pai sobre falar de discussões na igreja, e a Caríbdis das recomendações atuais da tia sobre mencionar o nome do seu pai.

– Sim, sim; bem, deixa para lá – interrompeu um tanto impaciente a tia Polly. – Você alonga muito as conversas, Poliana, e não importa qual seja o assunto, você sempre arruma um jeito de mencionar as senhoras da Sociedade Auxiliadora Feminina!

– Sim – sorriu alegremente Poliana. – É verdade, eu acho. Mas, sabe, é que elas costumavam me criar, e...

– Já chega, Poliana – interrompeu uma voz gélida. – O que é que você estava falando sobre geleia?

– Nada, tia Polly, de verdade, nada com que a senhora se importaria, estou certa disso. Como a senhora me deixa levar geleia para *ela*, achei que iria me deixar levar para *ele*... só desta vez. Sabe, uma perna quebrada não é... uma coisa que deixa você inválido para o resto da vida, então, ele logo vai estar curado, ao contrário da senhora Snow, e ela pode ficar com todas as outras coisas depois que eu der comida para ele uma ou duas vezes.

– Dele? Ele? Perna quebrada? Do que você está falando, Poliana?

Poliana arregalou os olhos; depois, relaxou as feições.

– Ah, eu esqueci. Acho que a senhora não ficou sabendo. Isso aconteceu quando a senhora estava viajando. No mesmo dia em que a senhora saiu eu o encontrei no bosque, sabe; e tive de destrancar a casa dele e ligar para os enfermeiros e o médico, e segurar a cabeça dele e tudo o mais. E é claro que depois eu fui embora, e não o vejo desde então. Mas quando a Nancy fez a geleia para a senhora Snow esta semana, eu pensei que seria muito gentil da minha parte se eu pudesse levar a geleia para ele em vez de para ela, só desta vez. Posso, tia Polly?

– Sim, sim, acho que sim – concordou a senhorita Polly, um tanto cansada. – Quem você disse que ele era mesmo?

– O Homem. Quero dizer, o senhor John Pendleton.

A senhorita Polly quase pulou da cadeira em que estava.

– *John Pendleton*!

– Sim. A Nancy me disse o nome dele. Talvez a senhora o conheça.

A senhorita Polly não respondeu. Em vez disso, perguntou:

– *Você* o conhece?

Poliana assentiu.

– Ah, sim. Ele sempre fala comigo e sorri... agora. Ele só é rabugento *por fora*, sabe. Vou pegar a geleia. A Nancy já estava acabando de prepará-la quando entrei na cozinha – concluiu Poliana já a meio caminho da cozinha.

– Poliana, espere! – A voz da senhorita Polly ficou de repente muito severa. – Eu mudei de ideia. Eu prefiro que a senhora Snow receba essa geleia hoje, como de costume. É só isso. Pode ir agora.

As feições de Poliana desabaram.

– Ah, mas tia Polly a doença *dela* vai durar. Ela sempre vai estar doente e poder receber coisas, sabe; mas o caso dele é só uma perna quebrada, e pernas não duram muito... quero dizer, pernas quebradas. Já faz uma semana que ele está assim.

– Sim, eu lembro. Fiquei sabendo que o senhor John Pendleton havia sofrido um acidente – disse a senhorita Polly um pouco rigidamente. – Mas... eu não quero mandar geleia de mocotó para John Pendleton, Poliana.

– Eu sei, ele é rabugento… por fora – admitiu Poliana com tristeza. – Então, presumo que a senhora não goste dele. Mas eu não pensava dizer que foi a senhora quem mandou a geleia. Vou dizer que fui eu. Gosto dele. Ficaria contente de mandar geleia para ele.

A senhorita Polly voltou a balançar a cabeça. Depois, de repente, ela parou e perguntou com uma voz curiosamente calma:

– Ele sabe quem você… é, Poliana?

A garotinha suspirou.

– Acho que não. Eu disse meu nome para ele certa vez, mas ele nunca me chama pelo nome... nunca.

– Ele sabe onde você… mora?

– Ah, não. Nunca disse isso a ele.

– Então, ele não sabe que você é... minha sobrinha?

– Acho que não.

Fez-se um silêncio por um instante. A senhorita Polly olhava Poliana com olhos que pareciam não enxergá-la. A garotinha, impacientemente trocando os pés no chão, suspirou alto. Depois, a senhorita Polly, com um susto, despertou.

– Muito bem, Poliana – disse ela por fim, ainda com aquela voz curiosa, muito diferente da voz normal dela. – Pode levar a geleia para o senhor Pendleton como um presente seu. E que fique bem claro: não fui eu quem mandei. Certifique-se de que ele não ache que fui eu!

– Sim, senhora... não, senhora... obrigada, tia Polly – disse Poliana exultante enquanto voava porta afora.

Capítulo 15
Doutor Chilton

A enorme pilha cinza de alvenaria pareceu muito diferente para Poliana na segunda visita dela à casa do senhor John Pendleton. As janelas estavam abertas e uma senhora idosa estava estendendo roupas no quintal, e o coche do médico estava parado embaixo do pórtico.

Como da outra vez, Poliana entrou pela porta lateral. Desta vez, tocou a campainha: seus dedos hoje não estavam doloridos por agarrarem com força um chaveiro.

Um cachorrinho que lhe parecia familiar subiu os degraus para recebê-la, mas demorou um pouco até que a senhora que estava estendendo as roupas viesse abrir a porta.

– Se me permite, trouxe um pouco de geleia de mocotó para o senhor Pendleton – Poliana disse sorrindo.

– Obrigada – respondeu a mulher enquanto tomava a tigela das mãos da garotinha. – Quem eu devo dizer que mandou? E é geleia de mocotó?

O médico, chegando ao corredor naquele momento, ouviu as palavras da mulher e viu o olhar de decepção no rosto de Poliana. Ele rapidamente se aproximou.

– Ah! Um pouco de geleia de mocotó? – perguntou de maneira cordial. – Vai ser ótimo! Talvez você gostaria de ver o paciente, hein?

– Ah, sim, senhor – disse radiante Poliana; e a mulher, obedecendo a um aceno de cabeça do médico, conduziu-os imediatamente pelo corredor, mas o fez com uma enorme expressão de surpresa no rosto.

Atrás do médico, um rapaz (um enfermeiro da cidade mais próxima), perturbado, exclamou:

– Mas, doutor, o senhor Pendleton não deu ordens expressas para que não entrasse... ninguém?

– Sim – concordou impassível o médico. – Mas sou eu quem está dando as ordens agora. Vou correr o risco. – Depois, acrescentou em tom de brincadeira: – Você não sabe, mas esta garotinha é melhor do que um garrafão de cinco litros de tônico. Se alguém ou alguma coisa vai ser capaz de melhorar o humor do senhor Pendleton esta tarde, esse alguém é ela. Foi por isso que permiti que ela entrasse.

– Quem é ela?

Por um átimo o médico hesitou.

– Ela é sobrinha de uma de nossas residentes mais conhecidas. O nome dela é Poliana Whittier. Eu... eu ainda não tive o prazer de conhecer direito essa senhorita; mas muitos dos meus pacientes a conhecem bem... Eu fico grato em dizer isso!

O enfermeiro sorriu.

– Olha só! E quais são os ingredientes desse maravilhoso... tônico dela?

O médico balançou a cabeça.

– Não sei. Até onde pude descobrir, é um contentamento irresistível e insaciável por tudo o que já aconteceu ou está por acontecer. Em todo caso, os seus discursos pitorescos são sempre repetidos para mim, e me parece que "simplesmente ficar contente" é tema de quase todos eles. Acontece que – acrescentou ele com outro sorriso brincalhão, à medida que saía para a varanda – eu gostaria de poder receitá-la para meus pacientes, e de poder comprá-la, como se compra uma caixa de comprimidos; por outro lado, se houvesse muitas delas pelo mundo, você e eu teríamos de procurar trabalho vendendo fitas ou cavando fossas, pois não ganharíamos nada com a medicina – ele riu, pegou as rédeas e subiu no coche.

Poliana, enquanto isso, por indicação do médico, estava sendo conduzida para os aposentos de John Pendleton.

O caminho que ela percorreu passava pela biblioteca no final do corredor, e, tão rápido quanto cruzou a biblioteca, Poliana logo percebeu que profundas mudanças haviam ocorrido ali. As paredes cobertas de estantes de livros e as cortinas escarlate eram as mesmas; mas não havia lixo espalhado pelo chão, nenhuma bagunça na escrivaninha e nem um grão de poeira à vista. Os cartões de visita estavam no lugar certo e os utensílios de latão da lareira haviam sido polidos. Uma das portas misteriosas estava aberta, e foi em direção a essa porta que a empregada a conduziu. Um instante depois, Poliana estava em um quarto suntuosamente mobiliado, enquanto a empregada dizia com uma voz assustada:

– Se me permite, senhor, aqui... aqui está uma garotinha com um pouco de geleia. O médico disse que era para eu... trazê-la para cá.

No momento seguinte, Poliana se viu sozinha com um homem de expressão muito rabugenta deitado em uma cama.

– Olhe aqui, eu não disse... – começou ele a falar com raiva. – Ah, é você! – ele se interrompeu de modo pouco gentil à medida que Poliana se aproximava da cama.

– Sim, senhor – sorriu Poliana. – Ah, fico tão contente por terem me deixado entrar! Sabe, a princípio aquela senhora quase me tomou a geleia, e tive medo de não conseguir chegar a ver o senhor. Depois, veio o médico, e ele disse que eu talvez pudesse ver o senhor. Não foi muito amável da parte dele ter me deixado visitar o senhor?

Contra sua vontade, os lábios do homem formaram um sorriso, mas tudo o que ele conseguiu dizer foi: – Hum!

– E eu lhe trouxe um pouco de geleia – prosseguiu Poliana. – Geleia de mocotó. Espero que o senhor goste. – a voz dela tinha uma entonação crescente.

– Nunca provei. – O sorriso fugaz desaparecera, e o homem mais uma vez estampou uma careta.

Por um breve instante, Poliana fez uma expressão de decepção; mas seu semblante mudou assim que ela pousou a geleia sobre uma mesa.

– Nunca? Ora, se o senhor nunca provou, então não pode saber que *não* gosta, não é mesmo? Então, acho que fico contente pelo fato de o senhor nunca ter provado. Agora, se eu soubesse...

– Sim, sim; bem, tem um coisa que eu sei muito bem: estou prostrado neste exato minuto, e talvez eu fique assim… até o Juízo Final, eu acho.

Poliana ficou chocada.

– Oh, não! Não pode ser até o Juízo Final, quando o arcanjo Gabriel vai tocar a trombeta dele, a não ser que o Juízo Final venha antes do que imaginamos… Ah, é claro que eu sei que a Bíblia diz que ele pode chegar mais cedo do que imaginamos, mas eu acho que não vai... quero dizer, é claro que eu acredito na Bíblia; mas o que estou dizendo é que eu não acho que ele virá tão depressa assim, e...

John Pendleton de repente riu… riu alto. O enfermeiro, que entrava no quarto naquele instante, ouviu a risada e, rápido e em silêncio, bateu em retirada. Ele fez a mesma cara que faria um cozinheiro assustado que, prevendo o perigo de uma lufada de ar frio atingir um bolo ainda não totalmente assado, fecha rapidamente a porta do forno.

– Você não está confundindo um pouco as coisas? – perguntou John Pendleton a Poliana.

A garotinha riu.

– Talvez. Mas o que quero dizer é que pernas não duram… pernas quebradas, sabe… como no caso dos inválidos para o resto da vida, como a senhora Snow. Então, sua invalidez, no fim das contas, não vai durar até o Juízo Final. Acho que o senhor poderia ficar contente por isso.

– Ah, mas eu estou – retrucou com tristeza o homem.

– E o senhor quebrou uma perna só. Pode ficar contente também por não ter quebrado as duas. – Poliana estava reconfortada com sua tarefa.

– É claro! Quanta sorte – fungou o homem com as sobrancelhas erguidas. – Por esse ponto de vista, acho que eu poderia ficar contente por não ser uma centopeia e não ter quebrado cinquenta pernas!

Poliana deu uma risada.

– Essa foi a melhor até agora – comemorou Poliana. – Sei o que é uma centopeia; elas têm várias pernas. E o senhor pode ficar contente...

– Ah, claro – interrompeu bruscamente o homem, com toda a antiga amargura recobrindo sua voz. – Acho que também posso ficar contente por todo o resto: o enfermeiro, o médico e aquela maldita mulher na cozinha!

– Ora, claro que sim, senhor... pense em como as coisas seriam ruins se o senhor não os tivesse por perto!

– Bem, eu... hein? – perguntou ele.

– Ora, só estou dizendo para o senhor imaginar como as coisas seriam piores se eles não estivessem aqui... principalmente com o senhor prostrado assim!

– Como se isso não fosse a fonte do problema – retrucou mal-humorado o homem –, não fosse exatamente o fato de eu estar prostrado desse jeito! E, ainda assim, você espera que eu diga que estou contente porque uma mulher tola desarruma a casa toda e chama isso de "arrumação", e um homem a ajuda e incita, e chama isso de "enfermagem", isso sem mencionar o médico, que encoraja os dois... e todos eles, enquanto isso, esperam que eu os pague por seus serviços, e que pague bem ainda por cima!

Poliana franziu as sobrancelhas em solidariedade.

– Sim, eu sei disso. *Essa* parte sobre o dinheiro é muito ruim... especialmente porque há muito que o senhor vem economizando seu dinheiro.

– Quando... hein?

– Economizando... comprando feijões e bolinhos de peixe, sabe. Olha, o senhor gosta de feijão? Ou prefere peru, mas não compra para não gastar os 60 centavos a mais?

– Olhe aqui, menina, do que você está falando?

Poliana sorriu radiante.

– Sobre seu dinheiro, sabe... sobre a sua abnegação, sobre o senhor economizar dinheiro para os povos pagãos. Eu fiquei sabendo disso. Ora, senhor Pendleton, foi por isso também que eu soube que senhor não era rabugento por dentro. Foi a Nancy quem me contou.

O homem ficou boquiaberto.

– Nancy contou a você que eu economizo meu dinheiro para os... Bem, se incomoda se eu perguntar quem é Nancy?

– A nossa Nancy. Ela trabalha para a tia Polly.

– Tia Polly! Bem, quem é a tia Polly?

– Ela é a senhorita Polly Harrington. Eu moro com ela.

O homem fez um movimento súbito.

– A senhorita... Polly... Harrington! – suspirou ele. – Você mora com... *ela*!

– Sim, sou sobrinha dela. É ela quem está me criando agora, por conta do que aconteceu com minha mãe – disse Poliana baixinho e com a voz embargada. – Minha mãe era irmã dela. E depois que o meu pai... foi passar a eternidade no céu com ela e meus outros parentes, fiquei sem ninguém no mundo além das senhoras da Sociedade Auxiliadora Feminina; então, ela me acolheu.

O homem não respondeu. Seu rosto, enquanto ele voltava a se deitar no travesseiro, estava muito lívido, tão lívido que Poliana se assustou. Ela se levantou hesitante.

– Acho que talvez seja melhor eu ir agora – sugeriu ela. Eu... eu espero que o senhor goste... da geleia.

O homem de súbito virou a cabeça e abriu os olhos. Nas profundezas dos seus olhos escuros havia um estranho desejo que Poliana podia perceber, e que a maravilhou.

– Então você é... sobrinha da senhorita Polly Harrington – disse ele com gentileza.

– Sim, senhor.

Os olhos escuros do homem permaneceram vidrados no rosto dela, até que Poliana, um tanto inquieta, murmurou:

– Eu... eu presumo que o senhor... a conheça.

Os lábios de John Pendleton formaram um estranho sorriso.

– Ah, sim, eu a conheço – disse ele hesitante, e depois prosseguiu, ainda estampando aquele estranho sorriso. – Mas... você não está querendo dizer... não pode estar querendo dizer que foi a senhorita Polly Harrington que mandou a geleia... para mim? – perguntou ele devagar.

Poliana pareceu angustiada.

– N-não, senhor: não foi ela. Ela disse que eu me certificasse de que o senhor não pensasse que foi ela quem mandou a geleia. Mas eu...

– Eu bem que imaginei – condescendeu o homem por um instante, e depois voltou a virar o rosto. E Poliana, ainda mais angustiada, saiu do quarto na ponta dos pés.

Ela encontrou o médico esperando em seu coche sob o pórtico. O enfermeiro estava de pé nos degraus da entrada.

– Bem, senhorita Poliana, me permite o prazer de levá-la para casa? – perguntou sorridente o médico. – Faz alguns minutos que eu comecei a sair daqui; depois, me ocorreu que talvez eu devesse esperar pela senhorita.

– Obrigada, senhor. Fico contente que tenha me esperado. Adoro andar de coche – disse uma radiante Poliana enquanto o médico estendia a mão para que ela subisse no coche.

– Adora, é? – disse sorrindo o médico depois de acenar com a cabeça em despedida para o jovem enfermeiro nos degraus. – Bem, pelo que posso ver, a senhorita "adora" fazer muitas coisas... não é? – acrescentou ele à medida em que eles saíam dali com rapidez.

Poliana riu.

– Ora, eu não sei. Acho que talvez seja verdade – admitiu ela. – Gosto de fazer quase tudo que tem a ver com *viver*. É claro que eu não gosto muito das outras coisas, como costurar, ler em voz alta e tudo isso. Mas *isso* não é *viver*.

– Não? Então essas coisas são o quê?

– A tia Polly diz que elas são "aprendizados para a vida" – suspirou Poliana com um sorriso pesaroso.

Naquele momento, o médico sorriu… um sorriso um tanto estranho.

– É mesmo? Eu bem imaginei que ela diria... exatamente isso.

– Sim – respondeu Poliana. – Mas eu não concordo com isso nem um pouco. Não acho que devemos *aprender* a viver. Eu, pelo menos, não precisei.

O médico soltou um longo suspiro.

– No fim das contas, receio que alguns de nós... temos de aprender sim, garotinha – disse ele. Depois, ficou alguns instantes em silêncio. Poliana, olhando de soslaio para o rosto dele, sentiu um pouco de pena. Ele parecia muito triste. Um tanto constrangida, ela queria poder fazer "alguma coisa" com relação àquilo. Talvez tenha sido por isso que ela disse com uma voz tímida:

– Doutor Chilton, eu pensava que ser médico era o tipo de trabalho que mais deixava a pessoa contente.

O médico, surpreso, se virou.

– Mais contente! Quando eu só vejo sofrimento em todos os lugares aonde vou!? – exclamou ele.

Ela balançou a cabeça.

– Eu sei; mas o senhor está *ajudando* as pessoas... o senhor não percebe? E é claro que o senhor fica contente em ajudá-las! Portanto, isso torna o senhor mais contente do que todos nós, o tempo todo.

Os olhos do médico se encheram de súbitas lágrimas quentes. A vida dele era particularmente solitária. Ele não tinha esposa nem casa, exceto pelo consultório de dois cômodos em uma pensão. Sua profissão lhe era muito cara. Olhando agora nos olhos brilhantes de Poliana, ele sentiu como se uma mão carinhosa houvesse de repente lhe tocado a cabeça, dando-lhe uma benção. Ele também soube que, daqui para frente, jamais o cansaço de um dia ou de uma noite longa de trabalho seriam o mesmo depois desta recém-descoberta exaltação que lhe havia chegado pelos olhos de Poliana.

– Que Deus a abençoe, garotinha – disse ele vacilante. Depois, estampando o sorriso radiante que seus pacientes conheciam e adoravam, acrescentou: – Agora estou achando que, no fim das contas, o médico, tanto quanto seus pacientes, também precisava de uma dose desse tônico! – Tudo isso deixou Poliana muito intrigada, até que um esquilo que atravessava a estrada afastou esse assunto da cabeça dela.

O médico deixou Poliana na porta de casa, sorriu para Nancy, que estava varrendo a varanda da frente, e depois foi embora rapidamente.

– Dei um passeio lindo com o médico – anunciou Poliana enquanto subia as escadas. – Ele é maravilhoso, Nancy!

– É mesmo?

– Sim. E eu disse a ele que achava que as pessoas que têm o emprego dele são as mais contentes que há.

– O quê? Ficar vendo gente doente… e ainda mais gente que acha que está doente, mas não está, o que é pior! – Nancy estampou uma descrença patente no rosto.

Poliana riu.

– Sim. Isso foi o que ele disse também; mas, até nesse caso, há maneiras de ficar contente. Adivinhe!

Nancy franziu as sobrancelhas, pensativa. Ela achava que estava progredindo, e que agora jogava muito bem o "jogo do contente". Estava gostando muito de analisar as "interrogações" de Poliana também, que era como ela chamava as perguntas da garotinha.

– Ah, já sei – disse ela rindo. – É o contrário do que a senhorita disse para a senhora Snow.

– O contrário? – repetiu Poliana, obviamente intrigada.

– Sim. A senhorita disse a ela que ela poderia ficar contente pelo fato de as outras pessoas não serem como ela... doentes, sabe.

– Sim – concordou Poliana.

– Bem, o médico pode ficar contente porque ele não é como as outras pessoas… os doentes, quero dizer, de quem ele cuida – concluiu triunfante Nancy.

Agora foi a vez de Poliana franzir as sobrancelhas.

– Ora, s-sim – admitiu ela. – É claro que essa *é* uma das maneiras de ficar contente, mas não é a que eu disse ao médico; e... de algum modo, eu não gosto muito de como soa o que você disse. Não é que ele fique contente pelo fato de que os doentes *são* os outros, mas… você joga o jogo de um jeito muito engraçado às vezes, Nancy – suspirou ela, e depois entrou na casa.

Poliana encontrou a tia na sala de estar.

– Quem era aquele homem… o que trouxe você até o jardim, Poliana? – indagou a tia com certa severidade.

– Ora, tia Polly, era o doutor Chilton! A senhora não o conhece?

– O doutor Chilton! O que ele estava fazendo… aqui?

– Ele me deu uma carona para casa. Ah, e eu dei a geleia ao senhor Pendleton, e...

A senhorita Polly rapidamente levantou a cabeça.

– Poliana, ele não achou que fui eu quem tinha mandado a geleia, não é?

– Ah, não, tia Polly. Eu disse a ele que não tinha sido a senhora.

A senhorita Polly de repente ficou muito corada.

– Você *disse* a ele que não havia sido eu!

Poliana arregalou os olhos perante o tom de reprovação consternada na voz de sua tia.

– Mas, tia Polly, a senhora me *disse* para fazer isso!

Tia Polly suspirou.

– Eu *disse*, Poliana, que eu não havia mandado a geleia, e que você se certificasse de que ele não fosse achar que *tinha sido* eu! Isso é muito diferente de você simplesmente dizer para ele que a geleia não veio de minha parte. – Irritada, ela se virou e foi embora.

– Meu Deus! Bem, eu não consigo ver a diferença – suspirou Poliana enquanto foi pendurar o chapéu naquele gancho em particular em que a tia Polly dissera que ele deveria ser pendurado.

Capítulo 16

Uma rosa vermelha e um xale de renda

Foi em um dia chuvoso, cerca de uma semana depois da visita de Poliana ao senhor John Pendleton, que a senhorita Polly foi levado por Timothy para uma reunião no começo da tarde do comitê da Sociedade Auxiliadora Feminina. Quando ela voltou, às três da tarde, suas bochechas tinham um tom de rosa brilhante e bonito, e seu cabelo, soprado pelo vento úmido, havia frisado e formado cachos nos pontos em que os grampos haviam se soltado.

Poliana jamais havia visto a tia assim.

– Oh... oh... oh! Ora, tia Polly, a senhora também tem – gritou ela extasiada, saltitando em volta da tia enquanto esta entrava na sala de estar.

– Tenho o quê, criança impossível?

Poliana ainda saltitava em volta da tia.

– E eu não sabia que a senhora tinha! É possível que as pessoas os tenham se você não sabe que elas os têm? A senhora *acha* que eu posso chegar a tê-los?... antes que eu vá para o céu, quero dizer – gritou ela enquanto puxava com dedos ansiosos mechas lisas de cabelo sobre as orelhas. – De todo o modo, se eu os tivesse, eles não seriam pretos. Não dá para esconder a parte preta com o chapéu.

– Poliana, o que significa tudo isso? – exigiu saber tia Polly, que apressadamente tirou o chapéu e tentou rearrumar o cabelo revolto.

– Não, não... por favor, tia Polly! – a voz jubilante de Poliana ganhou um tom de apelo angustiado. – Não tente endireitá-los! É deles que estou falando: desses cachinhos pretos lindos. Ai, tia Polly, como eles são bonitos!

– Não diga bobagens! O que você pretendia, Poliana, quando foi até a Sociedade Auxiliadora Feminina outro dia daquele jeito absurdo para falar sobre aquele mendigozinho?

– Mas não é bobagem – insistiu Poliana, respondendo apenas ao primeiro dos comentários de sua tia. – A senhora não faz ideia de como fica bonita com o cabelo desse jeito! Ah, tia Polly, por favor, posso arrumar seu cabelo como eu fiz com o da senhora Snow, e botar uma flor nele? Adoraria ver a senhora assim! Ora, e a senhora ficaria muito mais bonita do que ela ficou!

– Poliana! – (a senhorita Polly falou com muita severidade; com mais severidade do que o normal, pois as palavras de Poliana lhe provocaram uma estranha onda de alegria: quando antes alguém se importou com sua aparência, ou com seu penteado? Quando antes alguém "adorou" vê-la "bonita"? – Poliana, você não respondeu à minha pergunta. Por que você foi à Sociedade Auxiliadora Feminina daquele jeito absurdo?

– Sim, senhora, eu sei que foi absurdo; mas, por favor, eu não sabia que era um absurdo até que eu fui lá e descobri que elas preferiam ver o nome da sociedade no primeiro lugar do relatório a acolher o Jimmy. Então, eu escrevi para as senhoras da *minha* Sociedade Auxiliadora Feminina... porque o Jimmy mora muito longe delas, sabe, e eu pensei que talvez ele pudesse ser o indianozinho delas, assim como... tia Polly, eu *fui* sua indianazinha? E, tia Polly, a senhora vai me deixar arrumar seu cabelo, não é?

A tia Polly levou as mãos à garganta: aquela antiga sensação de impotência estava voltando, ela sabia.

– Mas, Poliana, eu fiquei muito envergonhada quando as senhoras me falaram hoje à tarde que você tinha ido vê-las! Eu...

Poliana começou a saltitar de leve na ponta dos pés.

– A senhora não disse! A senhora não disse que eu *não podia* arrumar seu cabelo – vangloriou-se ela triunfante. – E tenho certeza de que se disser que não, vai estar querendo dizer o contrário... como aconteceu com a geleia do senhor Pendleton, que a senhora não mandou, mas não queria que eu dissesse que a senhora não tinha mandado, sabe. Agora espere aqui onde a senhora está. Vou pegar uma escova.

– Mas, Poliana, Poliana – protestou a tia Polly, e, depois, foi sem fôlego escada acima atrás da garotinha.

– Ah, a senhora veio até aqui em cima? – Poliana encontrou a senhorita Polly na porta do quarto da tia. – Assim vai ser melhor ainda! Já peguei a escova. Agora, por favor, sente-se aqui. Ai, estou tão contente porque a senhora me deixou fazer isso!

– Mas, Poliana, eu... eu...

A senhorita Polly não terminou a frase. Para sua impotente surpresa, ela se viu na cadeira baixa em frente à penteadeira, com os cabelos já caindo sobre as orelhas sob dez dedos ansiosos, porém delicados.

– Meu Deus! Que cabelos lindos a senhora tem – tagarelou Poliana. – E ele também é bem mais cheio que o da senhora Snow! Mas, obviamente, a senhora precisa mesmo de mais cabelo, pois está bem de saúde e pode visitar lugares em que as pessoas vão reparar nos seus cabelos. Minha nossa! Acho que as pessoas vão ficar contentes quando virem seus cabelos… e surpresas também, porque a senhora manteve-os escondidos por muito tempo. Ora, tia Polly, vou lhe deixar tão bonita que todo mundo vai adorar olhar para a senhora!

– Poliana! – arquejou a tia com a voz chocada, porém abafada por uma cortina de cabelos. – Não... não sei bem por que estou permitindo que você faça essa bobagem.

– Ora, tia Polly, achei que ficaria contente de os outros gostarem de olhar para a senhora! A senhora não gosta de olhar para coisas bonitas? Eu sempre fico muito mais feliz quando olho para pessoas bonitas, porque, quando olho para as pessoas do outro tipo, sinto muita pena delas.

– Mas… mas…

– E eu simplesmente adoro arrumar o cabelo dos outros – ronronou contente Poliana. – Eu costumava arrumar o cabelo de muitas das senhoras da Sociedade Auxiliadora Feminina... mas o cabelo de nenhuma delas era tão bonito quanto o seu. O da senhora White até que era bonito, e ela ficou linda uma vez em que eu a vesti com… Ah, tia Polly, acabei de ter uma ideia! Mas é segredo, e eu não vou contar. Agora seu cabelo está quase pronto, e daqui a pouco eu vou deixar a senhora sozinha por um instante; e a senhora tem de prometer... prometer... *prometer* que não vai mexer no cabelo ou bisbilhotar o que eu estou fazendo, até que eu esteja de volta. Não esqueça! – concluiu ela enquanto corria para fora do quarto.

A senhorita Polly não disse nada em voz alta. Para si mesma, ela disse que era óbvio que ela deveria desfazer de uma vez a obra absurda dos dedos de sua sobrinha, e voltar a prender os cabelos no alto da cabeça, como se deve. Quanto à regra de "não bisbilhotar", até parece que ela se importava com...

Naquele instante, inexplicavelmente, a senhorita Polly vislumbrou seu reflexo no espelho da penteadeira. E o que ela viu a fez corar tanto que ela ficava mais corada cada vez que se via.

Ela viu um rosto que já não era jovem, é verdade, mas que naquele momento brilhava de animação e surpresa. Suas bochechas tinham um tom bonito de rosa. Seus olhos brilhavam. O cabelo, escuro e ainda úmido do ar do lado de fora da casa, caía em ondas frouxas na sua testa e se curvava atrás das orelhas formando linhas maravilhosamente atraentes, com pequenos cachos aqui e ali.

A senhorita Polly ficou tão impressionada e absorta com o que viu no espelho que se esqueceu completamente de sua determinação em desfazer o penteado, até que ouviu Poliana entrar de novo no quarto. Antes que ela pudesse se mexer, sentiu algo se desdobrar diante de seus olhos e ser amarrado ao pescoço.

– Poliana, Poliana! O que você está fazendo? – gritou ela.

Poliana riu.

– É exatamente isso que eu não quero que a senhora saiba, tia Polly, e tive medo de que a senhora *fosse* espiar; então, amarrei um lenço. Agora, fique quieta. Vai levar apenas um minutinho; depois, eu deixo a senhora ver.

– Mas, Poliana – começou a senhorita Polly, que lutava para conseguir ficar de pé sem poder ver –, tire este lenço de mim! Sua... criança, criança! O que você *está* aprontando? – arquejou ela enquanto sentia algo macio ser posto sobre os ombros.

Poliana apenas riu com mais animação. Com dedos trêmulos, ela estava cobrindo os ombros de sua tia com as dobras de um lindo xale de renda, amarelado por ter ficado guardado por muitos anos, e com cheiro de lavanda. Poliana havia encontrado o xale na semana anterior, quando Nancy estava arrumando o sótão; e hoje lhe ocorrera que não havia motivo para que sua tia, assim como a senhora White, em sua casa no oeste, não estivesse "bem arrumada".

Terminada a tarefa, Poliana examinou sua obra com olhos de aprovação, mas percebeu que ainda faltava um toque. Ela então conduziu a tia para o solário, onde podia ver uma rosa tardia florescendo na treliça, bem ao alcance de sua mão.

– Poliana, o que você está fazendo? Para onde está me levando? – disse a senhorita Polly enquanto se encolhia de medo, tentando em vão ficar parada. – Poliana, eu não vou...

– Estamos apenas indo ao solário... vai demorar só um minuto! A senhora vai ficar pronta em um instante – arfou Poliana, e depois pegou a rosa e prendeu-a ao cabelo sedoso sobre a orelha esquerda da senhorita Polly. – Pronto! – exultou Poliana, desamarrando o nó do lenço e jogando o pano para longe. – Oh, tia Polly, agora acho que a senhora vai ficar contente por ter me deixado arrumar seu cabelo!

Por um momento confuso, a senhorita Polly olhou para si mesma toda arrumada e olhou à sua volta; depois, ela deu um grito baixo e fugiu para o quarto. Poliana, seguindo a direção do último olhar consternado de sua tia, viu, pelas janelas do solário, o cavalo e o coche chegando na entrada da casa. De saída reconheceu o homem que segurava as rédeas. Com muita alegria, ela se inclinou para frente.

– Doutor Chilton, doutor Chilton! O senhor veio me ver? Estou aqui em cima.

– Sim – apesar do sorriso que estampava, o tom do médico era sério. – Você pode descer, por favor?

No quarto, Poliana encontrou uma mulher corada e com olhos furiosos retirando todos os grampos que mantinham o xale de renda no lugar.

– Poliana, como você foi capaz? – resmungou a mulher. – Só de pensar em você me arrumando assim, e depois permitindo que eu... *fosse vista*!

Poliana, desalentada, se deteve.

– Mas a senhora está linda... muito linda, tia Polly; e...

– Linda! – desdenhou a mulher, jogando o xale para um lado e atacando o próprio cabelo com dedos trêmulos.

– Ai, tia Polly, por favor, por favor, deixe seu cabelo assim!

– Deixar? Assim? Até parece! – a senhorita Polly puxou tanto os cachos que o último deles ficou esticado nas pontas dos dedos.

– Minha nossa! E a senhora estava tão bonita... – disse Poliana quase soluçando enquanto cambaleava porta afora.

No andar de baixo, Poliana encontrou o médico esperando em seu coche.

– Eu receitei você para um paciente meu, e ele me mandou buscar o remédio – anunciou o médico. – Você vem comigo?

– O senhor está falando... de um afazer... na farmácia? – perguntou Poliana um tanto hesitante. – Eu às vezes ia à farmácia... para as senhoras da Sociedade Auxiliadora Feminina.

O médico balançou a cabeça e sorriu.

– Não é exatamente isso. É o senhor John Pendleton. Ele gostaria de vê-la hoje, se você puder fazer essa gentileza. Parou de chover; então, vim até aqui atrás de você. Você vem comigo? Eu trago você de volta antes das seis da tarde.

– Eu adoraria! – exclamou Poliana. – Deixe-me perguntar à tia Polly.

Depois de alguns instantes ela voltou, de chapéu na mão, mas com uma cara muito séria.

– A sua tia... não queria que você saísse? – indagou o médico com timidez à medida em que eles saíam de lá.

– S-sim – suspirou Poliana. – Receio que ela queria *muito* que eu saísse.

– Queria *muito* que você saísse?

Poliana suspirou de novo.

– Sim. Acho que ela quis dizer que não me queria em casa. Sabe, ela disse: "Sim, sim, pode ir, pode ir... vá logo! Já vai tarde."

O médico sorriu, mas apenas com os lábios. Seus olhos permaneceram muito sérios. Durante algum tempo, ele não disse uma palavra; depois, um tanto hesitante, perguntou:

– Não foi… a sua tia que eu vi faz alguns minutos… na janela do solário?

Poliana deu um longo suspiro.

– Sim; essa é a questão, eu acho. Sabe, eu a vesti com um xale de renda maravilhoso que eu encontrei lá em cima, e arrumei o cabelo dela e botei nele uma rosa, e ela ficou muito linda. O *senhor* não achou que ela estava simplesmente maravilhosa?

Por um instante o médico não respondeu. Quando ele por fim falou, sua voz estava tão baixa que Poliana mal ouviu as palavras.

– Sim, Poliana, eu… eu achei que ela ficou… simplesmente maravilhosa.

– É mesmo? Fico muito contente! Vou dizer a ela – Poliana, feliz, balançou a cabeça.

Para sua surpresa, o médico de repente exclamou:

– Jamais! Poliana, eu… eu receio que vou ter de lhe pedir para não dizer isso... para ela.

– Ora, doutor Chilton! Por que não? Eu achei que o senhor ficaria contente…

– Mas ela não ficaria – interrompeu o médico.

Poliana considerou isso por um momento.

– É verdade… acho que ela não ficaria contente mesmo – suspirou ela. – Agora eu lembro; ela saiu correndo porque viu o senhor. E ela… ela falou depois sobre ter sido vista daquele jeito.

– Foi o que eu pensei – falou o médico em voz baixa.

– Ainda assim, não entendo o motivo… – insistiu Poliana. – Ainda mais quando ela estava bonita daquele jeito!

O médico não disse nada. De fato, ele só voltou a falar quando eles já haviam quase chegado à mansão de pedra em que John Pendleton estava deitado com uma perna quebrada.

Capítulo 17

"Assim como nos livros"

John Pendleton cumprimentou Poliana naquele dia com um sorriso.

– Bem, senhorita Poliana, acho que a senhorita deve ser uma pessoinha muito indulgente; caso contrário, não teria vindo me ver hoje.

– Ora, senhor Pendleton, eu fiquei muito contente por ter vindo, e não vejo motivos para sentir o contrário.

– Ah, bem, é que eu fui muito rabugento com a senhorita, receio eu, tanto no dia em que tão gentilmente me trouxe a geleia de mocotó quanto na vez em que me encontrou com a perna quebrada. Por falar nisso, acho que nunca cheguei a agradecer a senhorita por isso. Agora, tenho certeza de que até a senhorita poderia reconhecer que foi muito indulgente de sua parte ter vindo me visitar depois da maneira como eu lhe fui ingrato!

Poliana, incomodada, ficou se mexendo.

– Mas eu fiquei contente por ter encontrado o senhor... digo, não estou falando que fiquei contente por sua perna estar quebrada, é claro – ela se corrigiu depressa.

John Pendleton sorriu.

– Eu entendo. Sua língua lhe prega peças de vez em quando, não é verdade, senhorita Poliana? De qualquer modo, eu lhe agradeço; e considero a senhorita uma garotinha muito corajosa por ter feito o que fez naquele dia. E lhe agradeço pela geleia também – acrescentou ele com a voz mais baixa.

– O senhor gostou da geleia? – Poliana perguntou interessada.

– Muito. Por acaso... você não trouxe hoje mais um pouco daquela geleia que... que a tia Polly *não* mandou? – indagou ele com um sorriso estranho.

A visitante pareceu angustiada.

– N-não, senhor – hesitou ela, e depois prosseguiu, enfática. – Desculpe-me, senhor Pendleton, eu não tive a intenção de ser mal-educada naquele dia, quando disse que a tia Polly *não* tinha mandado a geleia.

Não houve resposta. John Pendleton já não sorria. Ele estava olhando bem à sua frente com olhos que pareciam olhar através e além do objeto diante dele. Depois de algum tempo, ele deu um longo suspiro e se virou para Poliana. Quando ele falou, sua voz estava carregada da velha e nervosa inquietude.

– Ora, ora, assim não pode ser! Eu não chamei a senhorita até aqui para que me visse me lamentando. Preste atenção! Na biblioteca, o cômodo grande onde fica o telefone, sabe, a senhorita vai encontrar uma caixa entalhada na estante de baixo da grande vitrine que fica em um canto perto da lareira. Quer dizer, deve estar lá se aquela maldita mulher ainda não "arrumou" e colocou em outro lugar! Traga a caixa para mim. Ela é pesada, mas não pesada demais para que a senhorita a carregue, eu acho.

– Ah, mas eu sou muito forte – declarou Poliana com alegria e, em um pulo, ficou de pé. Em um instante ela já tinha voltado com a caixa.

Poliana, então, passou meia hora maravilhosa. A caixa estava cheia de tesouros – objetos que John Pendleton havia colecionado em anos de viagens –, e cada um deles tinha uma história divertida, desde as finamente entalhadas peças de xadrez chinesas até um pequeno ídolo indiano feito de jade.

Foi depois de ouvir a história do ídolo que Poliana murmurou com tristeza:

– Bem, presumo que *seria* melhor pegar um indianozinho para criar, um que fosse ignorante o bastante para achar que Deus está neste boneco, do que criar o Jimmy Bean, um garotinho que sabe que Deus está no céu. Ainda assim, eu não posso evitar desejar que elas quisessem criar o Jimmy Bean também, além dos meninos indianos.

John Pendleton pareceu não ter ouvido. Mais uma vez, seus olhos estavam olhando para frente, para o nada. Mas ele logo despertou e pegou outro objeto.

A visita certamente foi encantadora, mas, antes que ela terminasse, Poliana começou a se dar conta de que eles estavam falando de outras coisas além das maravilhas contidas na linda caixa entalhada. Eles estavam falando de Poliana, de Nancy, de tia Polly e de seu dia a dia. Eles até falaram de como era a vida e a casa de Poliana aquela longínqua cidade do oeste fazia muito tempo.

Foi quase na hora de ela ir embora que o homem disse em um tom de voz que Poliana jamais escutara o severo John Pendleton usar:

– Garotinha, quero que a senhorita venha me visitar com frequência. A senhorita vem? Eu sou solitário, e preciso da senhorita. Tem outro motivo, e vou revelar-lhe qual é também. A princípio, eu pensei, depois de descobrir quem a senhorita era, que não queria que viesse mais me visitar. A senhorita me fazia lembrar de… de uma coisa que eu passei muitos anos tentando esquecer. Então, disse para mim mesmo que não queria voltar a vê-la; e sempre que o médico perguntava se eu não permitiria que ele trouxesse a senhorita até aqui, eu dizia que não.

– Mas, depois de algum tempo, percebi que eu queria encontrá-la tanto que… que o fato de eu *não estar* lhe encontrando estava me fazendo recordar ainda mais vividamente essa coisa que eu tanto quero esquecer. Então, agora eu quero que venha me visitar. A senhorita vem… garotinha?

– Ora, sim, senhor Pendleton – suspirou Poliana com os olhos brilhando de empatia pelo homem de semblante triste deitado no travesseiro diante dela. – Eu adoraria vir!

– Obrigado – disse John Pendleton com delicadeza.

Depois do jantar naquele fim de tarde, Poliana, sentada na varanda dos fundos, contou a Nancy sobre a maravilhosa caixa entalhado do senhor John Pendleton, e sobre as coisas mais maravilhosas ainda contidas nela.

– Quem diria – suspirou Nancy – que ele iria *mostrar* todas essas coisas para a senhorita, e contar as histórias sobre elas… logo ele, que é tão rabugento que nunca fala com ninguém... ninguém!

– Ah, mas ele não é rabugento, Nancy, só por fora – retrucou Poliana com lealdade. – Não entendo por que todo mundo acha que ele é tão ruim assim. Eles não achariam se realmente o conhecessem. Mas nem a tia Polly gosta muito dele. Ela não queria mandar a geleia para ele, sabe, e teve muito medo de que ele pensasse que ela havia mandado!

– Provavelmente porque ela achou que não era dever dela – Nancy deu de ombros. – Mas o que me espanta é como ele se apegou à senhorita –, e não tome isso como ofensa, é claro; mas ele não é o tipo de homem que costuma gostar de crianças. Não é mesmo.

Poliana riu de alegria.

– Mas ele gostou de mim, Nancy – concordou ela –, só que eu acho que nem ele mesmo queria... pelo menos não o tempo *todo*. Ora, só hoje ele foi admitir que já tinha desejado jamais voltar a me ver, porque eu fazia ele se lembrar de uma coisa que ele queria esquecer. Mas, depois…

– O que foi que a senhorita disse? – interrompeu animada Nancy. – Ele disse que a senhorita o fazia recordar uma coisa que ele queria esquecer?

– Sim. Mas, depois…

– Que coisa é essa? – Nancy estava ansiosamente insistente.

– Ele não me disse. Ele só disse que era uma coisa.

– *Quanto mistério*! – suspirou Nancy com uma voz fascinada. – Foi por isso que ele simpatizou com a senhorita em primeiro lugar. Oh, senhorita Poliana! Essa história é como nos livros, e eu já li muitos deles: *O segredo de lady Maud*, *O herdeiro perdido* e *Anos escondido*; todos eles tinham mistérios e coisas desse tipo. Jesus, Maria e José! Quem diria que a senhorita iria viver uma história assim e que eu ia ficar esse tempo todo sem saber de nada! Agora, conte-me tudo… tudo o que ele disse, senhorita Poliana, por favor! Não é de se espantar que ele tenha simpatizado com a senhorita... não é de se espantar!

– Mas ele não simpatizou – gritou Poliana –, não até que *eu* falasse com *ele* primeiro. E ele nem sabia quem eu era até que levei a geleia de mocotó e tive de fazê-lo entender que ela não tinha sido mandada pela tia Polly, e...

Nancy de súbito se levantou e juntou as mãos.

– Ah, senhorita Poliana, eu sei, eu sei... *eu sei*, eu sei! – exultou ela. No instante seguinte ela já estava de novo sentada ao lado de Poliana. – Conte-me... mas pense bem, e responda com sinceridade e sem rodeios – insistiu ela animadamente. – Foi depois que ele descobriu que a senhorita era sobrinha da senhorita Polly que ele disse que não queria voltar a vê-la, não é mesmo?

– Ah, sim. Eu contei isso para ele da última vez em que nos vimos, e ele me disse isso hoje.

– Foi o que pensei – disse Nancy triunfante. – E a senhorita Polly não queria ela mesma mandar a geleia, não é?

– Não.

– E a senhorita disse a ele que ela não tinha mandado?

– Ora, sim. Eu...

– E então ele começou a agir de modo estranho e gritar subitamente, depois que ele descobriu que a senhorita era sobrinha dela. Foi assim, não?

– Ué, s-sim; ele teve uma reação estranha... com relação àquela geleia – confessou Poliana franzindo as sobrancelhas, pensativa.

Nancy soltou um longo suspiro.

Então, já entendi tudo, claro! Agora preste atenção. *O senhor John Pendleton foi namorado da senhorita Polly Harrington*! – anunciou ela imponentemente, mas lançando um olhar furtivo por sobre o ombro.

– Ora, Nancy, não pode ser! Ela não gosta dele – retrucou Poliana.

Nancy olhou com desdém para Poliana.

– É claro que não! *Eis* a questão!

Poliana ainda parecia incrédula, e com outro longo suspiro, Nancy se acomodou para contar a história a ela.

– Foi assim. Logo antes de a senhorita chegar, o senhor Tom me disse que a senhorita Polly certa vez tinha tido um namorado.

Eu não acreditei. Não era possível... ela e um namorado! Mas o senhor Tom disse que era verdade, e que ele agora morava nesta cidade. E *agora* eu sei, obviamente. É John Pendleton. Ele não vive uma vida misteriosa? Ele não se encerra naquele casarão e nunca fala com ninguém? Ele não agiu de modo estranho quando descobriu que a senhorita era sobrinha da senhorita Polly? E agora ele não admitiu que a senhorita o faz se lembrar de uma coisa que ele quer esquecer? *Qualquer um* consegue perceber que essa coisa é a senhorita Polly! Ainda mais com ela dizendo que não iria mandar geleia para ele. Ora, senhorita Poliana, está na cara de quem quiser ver; está sim, está sim!

– Oh-h! – suspirou Poliana com olhos arregalados de surpresa. – Mas, Nancy, acho que se eles se amassem iam querer reatar o namoro em algum momento. Os dois viveram sozinhos todos esses anos. Acho que eles ficariam contentes em reatar o namoro!

Nancy bufou com desdém.

– Acho que a senhorita não entende muito de namoros, senhorita Poliana. A senhorita não é grande o bastante para isso ainda. Mas se *existe* um grupo de pessoas que não encontraria a mínima utilidade nesse seu jogo do contente, esse grupo é um casal de namorados brigados; e é isso o que eles são. Ele não é em geral muito rabugento? E ela não é...

Nancy se deteve de repente, lembrando-se bem a tempo para quem e sobre quem ela estava falando. Entretanto, de repente, ela riu.

– Não estou querendo dizer nada, senhorita Poliana, mas seria lindo se a senhorita conseguisse *fazer* com que eles jogassem o jogo... e então, eles *ficariam* contentes em reatar o namoro. Mas, meu Deus! Como as pessoas iriam ficar espantadas... com a senhorita Polly e ele! No entanto, acho que as chances de isso acontecer são mínimas, mínimas!

Poliana não disse palavra; mas quando voltou a entrar na casa algum tempo depois, estampava uma expressão pensativa.

Capítulo 18
Prismas

À medida que os dias quentes de agosto se passaram, Poliana visitou com frequência o casarão em Pendleton Hill. No entanto, ela achava que suas visitas não surtiam muito efeito. O homem queria que ela fosse até lá: ele, de fato, mandava buscá-la com frequência; mas, depois que ela chegava lá, ele não parecia ficar mais feliz com a presença dela, pelo menos era o que Poliana achava.

Ele conversava com ela, é verdade, e mostrava a ela muitas coisas estranhas e bonitas: livros, figuras, bricabraques. Mas ele ainda reclamava em voz alta do seu desamparo, e ficava visivelmente irritado com as regras e "arrumações" dos empregados indesejados da casa. No entanto, ele de fato parecia gostar de ouvir Poliana falar, e Poliana falava, Poliana gostava de falar; mas ela nunca podia ter certeza de que ergueria os olhos e o veria recostado em seu travesseiro com aquele olhar pálido e doído que tanto a magoava; e ela nunca sabia qual das palavras dela, se é que tinha sido alguma delas, havia despertado nele aquele estado. Quanto a contar a ele sobre o "jogo do contente" e tentar fazer com que ele o jogasse, Poliana ainda não tinha encontrado um momento em que ela pensou que ele gostaria de ouvir falar do jogo. Por duas vezes ela tentara falar com ele, e nas duas vezes ela não conseguiu passar da parte em que o seu pai lhe dizia..., pois John Pendleton nas duas ocasiões mudara de assunto de maneira abrupta.

Poliana agora já não duvidava que John Pendleton havia sido algum dia namorado de sua tia Polly; e com toda a força de seu coração amoroso e leal, ela desejou de algum modo poder injetar felicidade naquelas que, a seu ver, eram vidas miseravelmente solitárias.

No entanto, não conseguia pensar em como faria isso. Ela falava de sua tia para o senhor Pendleton; e ele a escutava, às vezes de maneira educada, às vezes com irritação, e com frequência com um sorriso de perplexidade estampado em seus lábios em geral severos. Ela falava do senhor Pendleton para a tia, ou pelo menos tentou falar dele. Em geral, no entanto, a senhorita Polly não lhe dava ouvidos... por muito tempo. Ela sempre encontrava outro assunto sobre o qual conversar. Ela fazia isso com frequência, até quando Poliana falava de outras pessoas, como o doutor Chilton, por exemplo. Mas Poliana achava que isso se devia ao fato de o doutor Chilton ter visto sua tia no solário com a rosa no cabelo e o xale de renda drapeado nos ombros. A tia Polly de fato parecia tratar o doutor Chilton com uma particular amargura, como Poliana pôde descobrir certo dia, quando um resfriado obrigou-a a ficar em casa.

– Se até a noite você não melhorar, vou chamar o médico – disse a tia Polly.

– A senhora vai mesmo? Então, vou piorar – balbuciou Poliana. – Adoraria que o doutor Chilton viesse me ver!

Naquele momento, ela ficou intrigada com a expressão que sua tia estampou no rosto.

– Não vou chamar o doutor Chilton, Poliana – disse com severidade a senhorita Polly. – O doutor Chilton não é o médico da nossa família. Vou mandar chamar o doutor Warren… caso você piore.

Mas Poliana não piorou, e o doutor Warren não foi chamado.

– Fico muito contente com isso – disse Poliana para a tia naquele fim de tarde. – É claro que gosto do doutor Warren e tudo o mais; mas gosto mais do doutor Chilton, e receio que ele ficaria magoado se eu não me consultasse com ele. Sabe, no fim das contas, a culpa não foi dele quando ele viu a senhora tão linda aquele dia, tia Polly – concluiu ela, melancólica.

– Basta, Poliana. Eu realmente não quero falar sobre o doutor Chilton… ou sobre os sentimentos dele – repreendeu a senhorita Polly, de maneira decidida.

Por um instante, Poliana olhou para ela com olhos tristes e interessados; depois, disse com um suspiro:

– Eu adoro vê-la com as bochechas rosadas desse jeito, tia Polly; mas eu gostaria muito de arrumar o seu cabelo. Se... ora, tia Polly! – Sua tia já havia desaparecido de vista corredor abaixo.

Foi no fim de agosto que Poliana, fazendo uma visita matinal a John Pendleton, viu o facho incandescente de azul e dourado e verde com as bordas vermelhas e violeta sobre o travesseiro dele. Ele se deteve em um assombrado deleite.

– Ora, senhor Pendleton, é um arco-íris bebê… um arco-íris de verdade veio visitar o senhor! – exclamou ela enquanto batia palmas de leve. – Oh... oh... oh, que lindo que ele é! Mas como será que ele *entrou* aqui? – gritou ela.

O homem deu um sorriso um tanto triste: John Pendleton estava particularmente de mal com o mundo naquela manhã.

– Bem eu presumo que ele tenha "entrado" através da borda facetada daquele termômetro de vidro na janela – disse ele com pouca energia. – O sol nem deveria bater nele, mas bate pela manhã.

– Ah, mas ele é muito bonito, senhor Pendleton! E é apenas o sol que faz isso? Minha nossa! Se ele fosse meu, o deixaria no sol o dia todo!

– De grande utilidade seria o termômetro, então – falou rindo o homem. – Como você espera poder saber o quão quente ou frio está se o termômetro fica no sol o dia todo?

– Eu nem me importaria – suspirou Poliana com os olhos vidrados na faixa colorida sobre o travesseiro. – Até parece que qualquer um que vivesse sempre em um arco-íris se importaria com essas coisas!

O homem riu. Ele observava o rosto embevecido de Poliana com curiosidade. De repente lhe ocorreu um novo pensamento. Ele tocou a sineta ao seu lado.

– Nora – chamou ele quando a empregada idosa apareceu na porta. – Traga-me um daqueles candelabros de latão que ficam na moldura da lareira da sala de estar da frente.

– Sim, senhor – murmurou a mulher, que parecia levemente confusa. Em um minuto ela já havia voltado. Um tilintar musical adentrou o quarto junto com a empregada à medida que ela, perplexa, se aproximava da cama. O som vinha dos prismas que pendiam em volta do candelabro à moda antiga que a mulher tinha em mãos.

– Obrigado. Você pode deixá-lo no criado-mudo – indicou o homem. – Agora, pegue um barbante e amarre-o ao varão da cortina daquela janela. Remova a cortina e deixe que o barbante cruze toda a janela, de uma ponta a outra. Isso é tudo, obrigado – comandou ele depois que ela havia seguido suas instruções.

Enquanto a empregada saía do quarto, ele voltou os olhos sorridentes para a maravilhada Poliana.

– Agora, traga-me aquele candelabro, por favor, Poliana.

Ela carregou o candelabro com as duas mãos; e em um instante ele estava retirando os prismas, um por um, até reunir uma dúzia deles dispostos lado a lado sobre a cama.

– Agora, minha querida, pegue os prismas e prenda-os ao pedaço de barbante que Nora afixou na janela. Se a senhorita realmente *quer* viver em um arco-íris... Eu não consigo ver, mas vamos ter de fazer um arco-íris em que a senhorita possa morar!

Poliana não havia pendurado nem três prismas na janela iluminada pelo sol quando teve um vislumbre do que ia acontecer. Ela ficou tão entusiasmada que quase não conseguia controlar os dedos trêmulos para pendurar os outros prismas. Mas ela, por fim, completou a tarefa e deu um passo para trás enquanto soltava um gritinho baixo de prazer.

Aquele quarto suntuoso, porém deprimente, se transformou em uma terra de conto de fadas. Por todo lado havia reflexos bruxuleantes vermelhos e verdes, laranja e roxos, dourados e azuis. A parede, o chão, os móveis, e inclusive a cama se acenderam com os reflexos brilhantes de luz.

– Oh, oh, oh, que maravilhoso! – suspirou Poliana; depois, ela riu de repente. – Acho que até o sol está tentando jogar o jogo agora, o senhor não acha? – gritou ela, esquecendo por um instante que o senhor Pendleton não tinha como saber de que ela estava falando. – Oh, como eu gostaria de ter várias dessas coisas! E como eu gostaria de dá-las de presente para a tia Polly, e a senhora Snow, e... muitas outras pessoas. Acho que *assim* elas ficariam realmente contentes! Ora, acho que até a tia Polly ficaria tão contente que não conseguiria evitar bater portas se ela morasse em um arco-íris como este. O senhor não acha?

O senhor Pendleton riu.

– Bem, pelo que eu me lembro de sua tia, senhorita Poliana, devo dizer que seria preciso mais do que alguns prismas iluminados pelo sol para que... para que ela batesse muitas portas... por simples contentamento. Mas agora me diga, de verdade, o que você quer dizer?

Poliana por um instante arregalou os olhos; depois, deu um longo suspiro.

– Ah, eu esqueci. O senhor não conhece o jogo. Lembrei agora.

– Então a senhorita vai ter de me contar sobre ele.

E desta vez Poliana conseguiu contar. Ela contou a ele tudo desde o princípio: as muletas que chegaram em vez de bonecas. Enquanto falava, ela não olhou para o rosto dele. Seus olhos embevecidos estavam ainda fixados nas partículas bruxuleantes de cor dos prismas pendurados que balançavam na janela iluminada pelo sol.

– E isso é tudo – suspirou ela depois de concluir. – E agora o senhor sabe por que eu disse que o sol estava tentando jogar.

Fez-se silêncio por um momento. Depois, uma voz baixa vinda da cama disse de maneira vacilante:

– Talvez; mas eu acho que o mais bonito dos prismas é a senhorita, Poliana.

– Ah, mas eu não reflito em lindos tons de verde e vermelho e roxo quando o sol bate em mim, senhor Pendleton!

– Tem certeza? – disse sorrindo o homem. E Poliana, olhando para o rosto, ficou imaginando por que os olhos dele estavam rasos d'água.

– Não – disse ela. Então, depois de um minuto, ela acrescentou tristemente: – Eu receio, senhor Pendleton, que a única coisa que o sol faz comigo é provocar sardas. A tia Polly disse que o sol as *provoca* mesmo!

O homem riu de leve; e Poliana voltou a olhar para ele: a risada soara quase que como um soluço.

Capítulo 19

Que é um tanto surpreendente

Poliana começou a frequentar a escola em setembro. Algumas provas que fez revelaram que ela estava bastante avançada para uma garota da idade dela, e ela logo se tornou uma colega feliz de uma turma de garotos e garotas da sua idade.

De algum modo, a escola era uma surpresa para Poliana; e Poliana, certamente, de muitos modos, era uma surpresa enorme para a escola. Mas eles logo passaram a conviver bem, e para a tia, Poliana confessou que, no fim das contas, ir à escola *era* viver, apesar de a princípio ter ficado em dúvida.

Apesar de seu entusiasmo sobre a nova ocupação, Poliana não esqueceu os velhos amigos. É verdade que ela agora já não podia dedicar muito tempo a eles, obviamente; mas dedicava todo o tempo que podia. Entre eles, talvez John Pendleton tenha sido o que ficou mais insatisfeito.

Em uma tarde de sábado, ele falou com ela sobre isso.

– Olhe aqui, Poliana, a senhorita gostaria de vir para cá morar comigo? – perguntou ele um tanto impaciente. – Hoje em dia eu quase não a vejo.

Poliana riu; o senhor Pendleton era um homem muito engraçado!

– Achei que o senhor não gostasse de ter pessoas por perto – disse ela.

Ele estampou uma expressão zombeteira.

– Ah, mas isso foi antes de a senhorita me ensinar a jogar esse seu jogo maravilhoso. Agora fico contente com o fato de que tenho quem me sirva! Não se preocupe, logo estarei bom, e aí, vou controlar quem anda por aqui – concluiu ele enquanto pegava uma das muletas e balançava-a divertidamente na direção da garotinha. Nesse dia eles estavam na grande biblioteca.

– Ah, mas o senhor não está contente de verdade por todas essas coisas; o senhor apenas *diz* que está – disse Poliana fazendo bico e com os olhos fixos no cachorro, que cochilava diante da lareira. – O senhor bem sabe que *nunca* joga da maneira certa, senhor Pendleton... o senhor sabe que não joga direito!

O rosto do homem de repente ficou muito sério.

– É por isso que eu quero que a senhorita venha morar comigo, garotinha... para me ajudar a jogá-lo. A senhorita aceita meu convite?

Poliana, surpresa, se virou.

– Senhor Pendleton, o senhor não está falando sério... está?

– Estou sim, quero que more comigo. Aceita o convite?

Poliana pareceu consternada.

– Ora, senhor Pendleton, eu não posso... o senhor sabe que eu não posso. Ora, eu sou... da tia Polly!

Alguma coisa rápida que Poliana não entendeu bem cruzou o rosto do homem. Ele ergueu a cabeça quase violentamente.

– A senhorita não é mais dela do que... Talvez ela permita que a senhorita more comigo – concluiu ele com mais delicadeza. – A senhorita viria... se ela permitisse?

Poliana, muito pensativa, franziu as sobrancelhas.

– Mas a tia Polly tem sido tão... boa para mim – começou ela lentamente. – E ela me acolheu quando eu não tinha ninguém no mundo além das senhoras da Sociedade Auxiliadora Feminina, e...

Mais uma vez aquele espasmo de algo cruzou o rosto do homem; mas, desta vez, quando ele falou, sua voz estava baixa e muito triste.

– Poliana, há muitos anos eu fui muito apaixonado por uma pessoa. Eu tinha esperanças de um dia trazê-la para cá, para esta casa. Eu imaginei como seríamos felizes em nosso lar no futuro.

– Sim – respondeu com pena Poliana, com os olhos brilhando de solidariedade.

– Mas... bem, eu não a trouxe para cá. Não se importe com o motivo. Eu simplesmente não a trouxe, é só isso. E desde então, esta enorme pilha de pedras cinza tem sido uma casa, jamais um lar. É necessário um toque e um coração femininos, ou a presença de uma criança, para que um lar se forme, Poliana; e eu não tenho nenhuma das duas coisas. Então, aceita o convite, minha querida?

Com um pulo, Poliana ficou de pé. Seu rosto estava brilhando.

– Senhor Pendleton, está... está querendo dizer que o senhor gostaria... de ter conquistado a mão e o coração dessa mulher esse tempo todo?

– Ora, s-sim, Poliana.

– Ah, fico muito contente! Então, está resolvido – suspirou a garotinha. – agora o senhor pode ficar com nós duas, e tudo vai ser lindo.

– Ficar... com vocês... duas? – repetiu um tanto confuso o homem.

Uma leve dúvida ficou estampada no semblante de Poliana.

– Bem, é claro que a tia Polly ainda não foi conquistada; mas tenho certeza de que ela será se o senhor disser isso a ela do mesmo modo que disse para mim, e então nós duas viríamos para cá, é claro.

Um expressão de pavor real tomou conta dos olhos do homem.

– A tia Polly vir... *Para cá*!

Os olhos de Poliana se arregalaram um pouco.

– O senhor preferiria ir para *lá*? – indagou ela. – É claro que a casa dela não é tão bonita assim, mas é mais perto...

– Poliana, do que a senhorita *está* falando? – perguntou o homem, desta vez com muita delicadeza.

– Ora, sobre o lugar em que vamos morar, é claro – retrucou Poliana, obviamente surpresa. – Eu *achei* a princípio que o senhor estava falando desta casa. O senhor disse que tinha desejado por todos esses anos ter conquistado a mão e o coração da tia Polly para que por fim tivesse um lar, e...

Um grito incompreensível saiu da garganta do homem. Ele levantou a mão e começou a falar; mas, no instante seguinte, deixou a mão cair frouxamente em um dos seus flancos.

– O médico está aqui, senhor – disse a empregada na porta.

Poliana se levantou com rapidez.

John Pendleton se virou ela, agitado.

– Poliana, pelo amor de Deus, não diga nada a ela sobre o convite que lhe fiz... ainda – implorou ele baixinho. Poliana deu um sorriso brilhante que revelou as covinhas das bochechas.

– É claro que não! Até parece que eu também não sei que o senhor gostaria de contar para ela pessoalmente! – respondeu ela com alegria por sobre o ombro.

John Pendleton caiu sem energias em sua cadeira.

– Ora, mas o que aconteceu? – indagou o médico um minuto depois, enquanto tomava o pulso acelerado do paciente.

Um sorriso extravagante ameaçou se formar nos lábios de John Pendleton.

– Overdose do seu... tônico, eu acho – disse ele rindo à medida que reparava que os olhos do médico seguiam a silhueta de Poliana enquanto ela saía da casa.

Capítulo 20

Que é ainda mais surpreendente

Nas manhãs de domingo, Poliana costumava frequentar a igreja e a catequese. Nas tardes de domingo ela, com frequência, dava um passeio com Nancy. Ela havia planejado um passeio para o dia seguinte à sua visita de sábado ao senhor John Pendleton; mas, no caminho da catequese para casa, o doutor Chilton ultrapassou-a em seu coche e fez o cavalo parar.

– Se me permite, Poliana, gostaria de acompanhá-la – sugeriu ele. – Queria conversar um minuto com você. Eu estava a caminho da sua casa para lhe contar – prosseguiu ele à medida que Poliana se acomodava ao seu lado. – O senhor Pendleton fez um pedido especial para você ir visitá-lo esta tarde *sem falta.* Diz ele que é muito importante.

Poliana assentiu com alegria.

– Sim, é importante mesmo. Eu vou.

O médico olhou-a com certa surpresa.

– Não tenho certeza se devo contar para você, no fim das contas – declarou ele com brilho nos olhos. – Você parecia mais perturbante do que relaxante ontem, mocinha.

Poliana riu.

– Ah, não fui eu, sério… não realmente, sabe; foi a tia Polly.

O médico se virou sobressaltado.

– Sua… tia! – exclamou ele.

Poliana quicou de alegria de leve em seu assento.

– Sim. E é tão entusiasmante e maravilhoso, como em um conto de fadas, sabe. Eu… eu vou contar para o senhor – disse ela, subitamente decidida. – Ele disse para eu não comentar; mas é claro que ele não vai se importar de o senhor saber. Ele quis dizer para eu não comentar com *ela*.

– *Ela*?

– Sim; a tia Polly. E é claro que ele *gostaria* de contar a ela pessoalmente, em vez de que eu conte... o senhor sabe como são os namorados!

– Namorados! – Quando o médico disse a palavra, o cavalo deu um tranco violento, como se quem segurasse as rédeas as tivesse puxado com força.

– Sim – assentiu com alegria Poliana. – Essa é a parte que parece um conto de fadas, sabe. Eu não sabia até que a Nancy me contou. Ela disse que a tia Polly há muitos anos teve um namorado, e eles discutiram. Ela a princípio não sabia quem era. Mas agora nós descobrimos. É o senhor Pendleton, sabe.

O médico de repente relaxou, e a mão que segurava as rédeas caiu frouxa no seu colo.

– Oh! Não; Eu... não sabia – disse ele baixinho.

Poliana se apressou para terminar a história, pois eles estavam se aproximando do solar dos Harrington.

– Sim; e agora eu estou muito contente. Tudo acabou sendo perfeito. O senhor Pendleton me convidou para morar com ele, mas é claro que eu não abandonaria a tia Polly assim... depois que ela foi tão boa para mim. Então, ele me contou tudo sobre a mão e o coração da mulher que ele costumava desejar, e eu descobri que ele ainda nutria esses sentimentos; e fiquei muito contente! Porque, se ele quiser reatar com ela, tudo vai dar certo agora, e a tia Polly e eu iremos morar com ele, ou ele irá morar conosco. É claro que a tia Polly ainda não sabe disso, e ainda não acertamos todos os detalhes; então, eu presumo que seja por isso que ele queira me ver esta tarde.

O médico se empertigou de súbito. Ele estampava um sorriso estranho nos lábios.

– Sim; consigo imaginar que o senhor Pendleton queira sim.... vê-la hoje, Poliana – ele balançou a cabeça enquanto fazia o cavalo parar diante da porta.

– Lá está a tia Polly agora na janela – gritou Poliana; em seguida, um instante depois: – Ora, não é ela não... mas eu pensei tê-la visto!

– Não; ela não está lá… agora – respondeu o médico, e o sorriso de repente se esvaiu dos lábios dele.

Poliana encontrou um John Pendleton muito nervoso esperando por ela naquela tarde.

– Poliana – falou ele imediatamente. – Passei a noite toda tentando descobrir o que a senhorita quis dizer quando falou tudo aquilo ontem, sobre como eu passei todos esses anos desejando conquistar a mão e o coração da sua tia Polly. O que você quis dizer?

– Ora, porque vocês um dia foram namorados, sabe; e eu fiquei muito feliz pelo fato de o senhor ainda nutrir esses sentimentos hoje.

– Namorados!... a sua tia Polly e eu?

Com a surpresa patente na voz do homem, Poliana arregalou os olhos.

– Ora, senhor Pendleton, a Nancy disse que vocês eram namorados!

O homem deu uma risadinha breve.

– De fato! Bem, receio ter de dizer que a Nancy... não sabe de nada.

– Então vocês… não foram namorados? – a voz de Poliana estava tragicamente consternada.

– Jamais!

– Então essa história *não está* se desenrolando como em um livro?

Não houve resposta. Os olhos mal-humorados do homem estavam fixos na vista da janela.

– Minha nossa! E tudo estava correndo bem – lamentou-se Poliana quase aos soluços. – Eu teria ficado muito contente de vir morar aqui... com a tia Polly.

– E a senhorita já não vem mais... agora? – perguntou o homem sem virar a cabeça.

– É claro que não! Eu sou da tia Polly.

Desta vez o homem se virou quase com violência.

– Antes de ser dela, Poliana, a senhorita era… da sua mãe. E… foi o coração e a mão da sua mãe que eu quis conquistar faz muitos anos.

– Minha mãe!

– Sim, eu não ia lhe contar, mas talvez seja melhor, no fim das contas, que eu lhe conte... agora. – O rosto de John Pendleton ficou muito lívido. Ele estava falando com uma dificuldade evidente. Poliana, com olhos arregalados e assustados e boquiaberta, estava olhando fixamente para ele. – Eu amei a sua mãe; mas ela... não me amava. E depois de um tempo ela foi embora com... o seu pai. E eu não sabia até aquele momento o quanto eu realmente… gostava dela. O mundo pareceu ficar escuro sob meus dedos, e… Mas, deixe para lá. Durante anos eu fui um velho rabugento, irascível, que não amava nem era amado por ninguém... e eu ainda não tenho nem 60 anos, Poliana. Então, certo dia, como um dos prismas de que tanto gosta, garotinha, a senhorita surgiu na minha vida, e coloriu meu antigo mundo cinzento com toques de roxo e dourado e carmesim com sua alegria radiante. Depois de algum tempo, descobri quem era a senhorita, e… e pensei que eu jamais iria querer voltar a vê-la. Eu não queria que a senhorita me lembrasse... da sua mãe. Mas... a senhorita sabe como essa história terminou. Eu simplesmente precisava que a senhorita me visitasse. E agora quero-a para sempre. Poliana, por que não vem morar comigo *agora*?

– Mas, senhor Pendleton, eu… tem a tia Polly! – Os olhos de Poliana estavam rasos d'água.

O homem fez um gesto de impaciência.

– E quanto a mim? Como a senhorita espera que eu fique contente com qualquer coisa… sem a sua presença? Ora, Poliana, foi apenas depois que a senhorita passou a vir que eu comecei a sentir um leve contentamento por estar vivo! Mas se a senhorita fosse a minha garotinha, eu ficaria contente… por qualquer coisa; e eu tentaria fazê-la contente também, minha querida. Você não deveria ter desejos não atendidos. Todo o meu dinheiro, até o último centavo, vai ser gasto em prol da sua felicidade.

Poliana pareceu chocada.

– Ora, senhor Pendleton, até parece que eu deixaria o senhor gastar o seu dinheiro comigo… todo aquele dinheiro que o senhor economizou para os povos pagãos!

O homem ficou levemente corado. Ele começou a falar, mas Poliana ainda estava falando.

– Além disso, uma pessoa com tanto dinheiro quanto o senhor não precisa de mim para se sentir contente com relação às coisas. O senhor já está deixando os outros tão contentes ao dar a eles coisas que o senhor não pode evitar ficar contente! Ora, pense só nos prismas que o senhor deu para mim e para a senhora Snow, e na moeda de ouro que deu para a Nancy no aniversário dela, e...

– Sim, sim... não se preocupe com essas coisas – interrompeu o homem. O rosto dele estava muito, muito corado agora, e talvez não fosse de se espantar: não era por "dar coisas" que John Pendleton havia ganhado fama no passado. – Isso é tudo besteira. De todo modo, não foi grande coisa... mas qualquer coisa que tenha ocorrido, ocorreu por causa da senhorita. Foi a *senhorita* quem deu essas coisas, e não eu! Sim, foi a senhorita – repetiu ele em reação à negação chocada que ela estampava no rosto. – E isso é mais uma prova do quanto eu preciso da senhorita, garotinha – acrescentou ele, e sua voz mais uma vez soou delicada, suplicante. – Se eu for jogar algum dia o "jogo do contente", Poliana, a senhorita vai ter de vir até aqui e jogar comigo.

A testa da garotinha se franziu, deixando-a com uma expressão pensativa.

– A tia Polly tem sido muito boa para mim – começou ela; mas o homem a interrompeu de maneira abrupta. A antiga irritabilidade havia retornado ao rosto dele. Uma impaciência que não tolerava qualquer oposição havia formado parte da natureza de John Pendleton por tempo demais para que ele agora cedesse com facilidade a qualquer restrição.

– É claro que ela tem sido boa para a senhorita! Mas ela não a quer bem, eu lhe garanto, nem a metade do quanto eu a quero bem – argumentou ele.

– Ora, senhor Pendleton, ela se sente contente, eu sei, por ter...

– Contente! – interrompeu o homem, perdendo a paciência por completo agora. – Sou capaz de apostar que a senhorita Polly não sabe como ficar contente... por nada! Ah, ela cumpre com os seus deveres, eu sei. Ela é uma mulher muito *diligente*. Já tive uma experiência com o "dever" dela antes. Reconheço que não fomos muito amigos ao longo dos últimos quinze ou vinte anos. Mas eu a conheço. Todos a conhecem... e ela não é do tipo "contente", Poliana. Ela não sabe como ficar contente. Quanto à senhorita vir morar aqui... pergunte para ela, e veja se ela não vai deixar a senhorita vir. E, ah, garotinha, garotinha, eu lhe quero muito bem! – concluiu ele com a voz embargada.

Poliana se levantou e deu um longo suspiro.

– Tudo bem. Vou perguntar a ela – disse ela um tanto triste. – É claro que não estou querendo dizer que eu não gostaria de morar aqui, senhor Pendleton, mas... – Ela não terminou a frase. Fez-se silêncio por um momento, e depois ela acrescentou: – Bem, de qualquer maneira, fico contente por não ter dito nada a ela ontem... porque até ontem eu achava que *ela* era benquista também.

John Pendleton deu um sorriso amarelo.

– Bem, sim, Poliana; acho que foi mesmo melhor você não ter dito nada... ontem.

– Eu não... só para o médico; e é claro que ele não conta.

– O médico! – gritou John Pendleton, e se virou rapidamente. – Não... o doutor... Chilton?

– Sim; quando ele veio me dizer que o senhor queria me ver hoje, sabe.

– Bem, de todas as... – resmungou o homem, e caiu em sua cadeira. Depois, sentou-se empertigado, com súbito interesse. – E o que o doutor Chilton disse? – perguntou ele.

Poliana, pensativa, franziu as sobrancelhas.

– Ora, eu não lembro. Não disse muita coisa, eu acho. Ah, ele disse que podia imaginar que o senhor queria me ver.

– Ah, é mesmo? – respondeu John Pendleton. E Poliana ficou se perguntando por que ele havia dado uma súbita e estranha risadinha.

Capítulo 21

Uma pergunta respondida

O céu escurecia rápido com o que parecia ser uma tempestade iminente quando Poliana desceu apressadamente a colina da casa de John Pendleton. A meio caminho de casa, ela encontrou Nancy com um guarda-chuva. Àquela altura, no entanto, as nuvens já haviam mudado de direção, e a tempestade já não era tão iminente.

– Acho que estão indo para o norte – anunciou Nancy enquanto examinava o céu. – Eu bem suspeitei que isso ia acontecer, mas a senhorita Polly queria que eu saísse com isso. Ela estava *preocupada* com a senhorita!

– Estava mesmo? – murmurou Poliana distraída enquanto olhava para as nuvens.

Nancy fungou de leve.

– Acho que a senhorita não ouviu o que eu falei – observou ofendida. – Eu disse que sua tia estava *preocupada* com a senhorita!

– Ah – suspirou Poliana, lembrando-se de repente da pergunta que dentro em breve faria à sua tia. – Eu sinto muito. Não queria assustá-la.

– Bem, eu fico contente – retrucou Nancy inesperadamente. – Fico sim, fico sim.

Poliana arregalou os olhos.

– *Contente* pela tia Polly ter ficado assustada! Ora, Nancy, não é *assim* que se joga... não para ficar contente com essas coisas! – protestou ela.

– Eu não estava jogando desta vez – replicou Nancy. – Nem pensei nele. A *senhorita* é que parece não saber o que significa ter a senhorita Polly preocupada com você, criança!

– Ora, significa preocupada... e preocupação é horrível... de se sentir – insistiu Poliana. – Que outra coisa pode significar?

Nancy baixou a cabeça.

– Bem, vou dizer à senhorita o que significa. Significa que, por fim, ela está se tornando um pouco mais humana... com os outros; e que ela não está mais só cumprindo com seus deveres o tempo todo.

– Ora, Nancy – queixou-se uma escandalizada Poliana. – A tia Polly sempre cumpre com seus deveres. Ela... ela é uma mulher muito diligente! – Poliana inconscientemente repetiu as palavras que John Pendleton havia dito meia hora antes.

Nancy deu uma pequena risada.

– A senhorita tem razão: ela é... e sempre foi, eu acho! Mas ela está diferente agora, desde que a senhorita chegou.

O rosto de Poliana mudou. Suas sobrancelhas estamparam nela uma expressão perturbada.

– Era isso o que eu ia perguntar a você, Nancy – suspirou ela. Você acha que a tia Polly gosta que eu more aqui? Você acha que ela se importaria... se eu não morasse mais aqui?

Nancy lançou um olhar rápido para o rosto absorto da menina. Ela havia esperado escutar essa pergunta fazia muito tempo, e tinha pavor dela. Ela imaginara como a responderia... como ela poderia responder à pergunta com sinceridade e sem magoar cruelmente a indagadora. Mas, agora, *agora*, diante das novas suspeitas que haviam se tornado convicções depois que mandaram-na ir atrás de Poliana com o guarda-chuva naquela tarde, Nancy recebeu a pergunta de braços abertos. Ela tinha certeza de que, com a consciência tranquila hoje, ela poderia aplacar a fome de amor do coração da garotinha.

– Se ela gosta que a senhorita more aqui? Se ela iria sentir saudades se a senhorita não estivesse aqui? – gritou indignada Nancy. – E não era exatamente disso que eu estava falando?! Ela não me mandou sair correndo de casa com um guarda-chuva porque tinha visto uma nuvenzinha no céu? Ela não me fez levar todas as suas coisas para o andar de baixo, para que a senhorita ficasse no quarto bonito que tanto queria? Ora, senhorita Poliana, quando se lembrar de como a princípio ela detestava ter…

Com um engasgo, Nancy se deteve bem a tempo.

– E eu não estou falando apenas de atitudes concretas – disse Nancy, apressadamente e sem fôlego. – São pequenas mudanças no comportamento dela, que demonstram como a senhorita vem amolecendo o coração dela e tornando-a mais suave... e o gato, e o cachorro, e o modo como ela se dirige a mim, e, ah, muitas outras coisas. Ora, senhorita Poliana, não dá para dizer quanta saudade ela sentiria… se a senhorita não estivesse mais aqui – concluiu Nancy, que falou com uma convicção entusiasmada para disfarçar a confissão perigosa que ela quase havia feito antes. Apesar disso, ela não estava preparada para a súbita alegria que iluminou o rosto de Poliana.

– Oh, Nancy, fico muito contente… contente… contente! Você não sabe o quão contente eu estou pela tia Polly... me querer bem!

"Agora é que eu não me mudo daqui!", pensou Poliana enquanto subia as escadas até o quarto. "Eu sempre soube que queria morar com a tia Polly… mas acho que talvez eu não soubesse quanto eu quero que a tia Polly... queira morar *comigo*!"

A tarefa de contar ao senhor John Pendleton sobre a decisão dela não seria fácil: Poliana sabia disso, e tinha muito medo. Ela gostava muito de John Pendleton, e ela sentia muita pena dele, porque ele parecia sentir muita pena de si mesmo. Ela sentia pena também pela vida longa e solitária que o fizera muito infeliz; e lamentava que havia sido por causa de sua mãe que ele vivera todos aqueles anos deprimentes. Ela imaginou como ficaria o casarão cinza depois que o dono melhorasse, com seus cômodos silenciosos, seu chão cheio de lixo, a escrivaninha desarrumada; e seu coração doeu pela solidão dele. Ela desejou que em algum lugar pudesse ser encontrada uma pessoa que… E foi nesse momento que ela se levantou e soltou um gritinho de alegria pelo pensamento que lhe ocorrera.

Assim que pôde, ela subiu correndo a colina da casa de John Pendleton; e, no devido momento, ela estava na grande e mal iluminada biblioteca, com o próprio John Pendleton sentado perto dela com as mãos compridas e finas pousadas frouxamente nos braços da cadeira, e com o cão fiel aos seus pés.

– Então, Poliana, você vai jogar o "jogo do contente" comigo pelo resto de minha vida? – perguntou com delicadeza o homem.

– Ah, sim – exclamou Poliana. – Eu pensei em um tipo de coisa muito contente para o senhor fazer, e...

– Com... *a senhorita*? – indagou John Pendleton, e os cantos dos seus lábios começaram a estampar uma expressão séria.

– N-não; mas...

– Poliana, a senhorita não vai dizer que não! – interrompeu uma voz embargada de emoção.

– Eu... devo, senhor Pendleton; eu realmente devo. A tia Polly...

– Ela se *recusou*.. a deixar a senhorita... vir morar aqui?

– Eu... eu não perguntei a ela – gaguejou a garotinha.

– Poliana!

Poliana desviou o olhar. Ela não conseguia olhar nos olhos magoados e enlutados de seu amigo.

– Então você nem chegou a perguntar!

– Eu não pude, senhor... de verdade – gaguejou Poliana. – Sabe, eu descobri a resposta... sem precisar perguntar. A tia Polly me *quer* ao lado dela, e... e eu quero morar lá também – confessou corajosamente Poliana. – O senhor não sabe como ela tem sido boa para mim; e... e eu acho, de verdade, que em algumas ocasiões ela está começando a ficar contente por algumas coisas... por muitas coisas. E o senhor sabe que ela não costumava ser assim. O senhor mesmo falou isso. Oh, senhor Pendleton, eu *não poderia* abandonar a tia Polly... não agora!

Fez-se uma longa pausa. Apenas o estalar da lenha queimando na lareira quebrava o silêncio. Por fim, no entanto, o homem falou.

– Não, Poliana; eu entendi. A senhorita não poderia abandoná-la... agora – disse ele. – Não vou perguntar... de novo. – A última palavra foi tão baixa que quase não deu para ouvir; mas Poliana ouviu com clareza.

– Ah, mas o senhor não sabe o resto da história – lembrou ela ansiosamente para ele. – Encontrei a coisa mais contente que o senhor pode fazer... encontrei mesmo!

– Não para mim, Poliana.

– Sim, para o senhor. O senhor mesmo foi quem *disse*. O senhor disse que só o… o toque e o coração de uma mulher ou a presença de uma criança poderia criar um lar. E eu posso arranjar isso para o senhor: a presença de uma criança; não eu, sabe, mas outra criança.

– Como se eu fosse aceitar alguém que não a senhorita! – queixou-se uma voz indignada.

– Mas o senhor vai… quando souber quem é; o senhor é tão bom e gentil! Ora, pense nos prismas e nas moedas de ouro, e em todo aquele dinheiro que o senhor economiza para os povos pagãos, e...

– Poliana! – interrompeu violentamente o homem. – Vamos terminar com essa bobagem de uma vez por todas! Já tentei dizer à senhorita algumas vezes: não há dinheiro para os povos pagãos. Nunca mandei para eles um centavo na vida. Já chega!

Ele ergueu o queixo e se preparou para encarar o que ele esperava: a decepção magoada nos olhos de Poliana. Para surpresa dele, no entanto, não havia mágoa ou decepção nos olhos dela. Havia penas uma alegria estupefata.

– Oh, oh! – exclamou ela enquanto batia palmas. – Fico muito contente! Quero dizer – ela se corrigiu, e ficou corada de agonia –, eu não estou falando que não sinto pena dos pagãos, só que agora mesmo eu não posso evitar ficar contente pelo fato de o senhor não querer ajudar os menininhos indianos, porque todas as outras pessoas querem ajudá-los. E fico muito contente que o senhor prefira acolher o Jimmy Bean. Agora tenho certeza de que irá acolhê-lo!

– Acolher… *quem*?

– O Jimmy Bean. Ele é a "presença de uma criança", sabe; e ele ficará muito contente de ser essa presença. Eu tive de dizer a ele na semana passada que nem as senhoras da minha Sociedade Auxiliadora Feminina no oeste aceitaram acolhê-lo, e ele ficou muito decepcionado. Mas agora… quando ele ficar sabendo disso… ele vai ficar muito contente!

– Ele vai? Pois eu não vou – exclamou decidido o homem. – Poliana, isso é um disparate!

– O senhor está dizendo que... não vai acolhê-lo?

– É exatamente isso o que eu quero dizer.

– Mas ele seria uma adorável presença de criança – gaguejou Poliana. Ela estava quase chorando agora. – E o senhor *não se sentiria* mais sozinho... com o Jimmy por perto.

– Não tenho dúvidas disso – retrucou o homem –, mas... acho que eu prefiro a solidão.

Foi então que Poliana, pela primeira vez em semanas, de repente se lembrou de algo que Nancy dissera para ela certa vez. Ela ergueu o queixo e, ofendida, disse:

– Talvez o senhor ache que uma criança de carne e osso não é melhor do que aquele esqueleto velho e morto que o senhor guarda aqui em algum lugar; mas eu acho que é bem melhor!

– *Esqueleto*?

– Sim. A Nancy disse que o senhor guarda um esqueleto no armário, em algum lugar.

– Ora, o que... – o homem de repente jogou a cabeça para trás e gargalhou. E de fato foi uma gargalhada enérgica... tão enérgica que Poliana começou a chorar de puro nervosismo. Quando percebeu isso, John Pendleton rapidamente se sentou com a coluna reta. Seu rosto ficou sério.

– Poliana, desconfio que a senhorita tenha razão... mais razão do que imagina – disse ele com gentileza. – Na verdade, eu *sei* que um "garotinho simpático de carne e osso" seria bem melhor do que... meu esqueleto no armário; acontece que nem sempre estamos dispostos a trocar uma coisa pela outra. Temos certa tendência a nos apegar aos nossos esqueletos, Poliana. No entanto, por que a senhorita não me fala mais desse garotinho simpático? – E Poliana falou.

Talvez a gargalhada tenha acalmado as coisas; ou talvez a história de Jimmy Bean contada pelos lábios ansiosos de Poliana tenha tocado um coração já estranhamente amolecido. De qualquer modo, quando Poliana voltou para casa naquela noite, levava consigo um convite para que o próprio Jimmy Bean fosse com Poliana até o casarão na próxima tarde de sábado.

– E fico muito contente, e tenho certeza de que o senhor vai gostar dele – suspirou Poliana enquanto se despedia. – Quero muito que o Jimmy Bean encontre uma casa... e pessoas que se importem com ele, sabe.

Capítulo 22

Sermões e caixas para lenha

Na tarde em que Poliana falou de Jimmy Bean para John Pendleton, o reverendo Paul Ford subiu a colina e entrou no bosque de Pendleton, na esperança de que a beleza silenciosa da natureza de Deus acalmasse o alvoroço que *seus* filhos humanos haviam provocado.

O reverendo Paul Ford estava com o coração partido. Mês após mês, durante um ano, as coisas em sua paróquia iam de mal a pior; e, agora, parecia que para qualquer lado que ele olhasse, via apenas discussões, fofocas, escândalos e inveja. Ela havia se alternado entre argumentar, suplicar, repreender e ignorar essas coisas; e em meio a tudo isso ele sempre rezou com sinceridade e cheio de esperanças. Mas naquele dia infelizmente ele teve de admitir que a situação não havia melhorado, pelo contrário: tinham piorado.

Dois de seus diáconos estavam brigando por uma coisa boba que apenas as infindáveis ameaças tornavam digna de atenção. Três de suas funcionárias mais dedicadas haviam saído da Sociedade Auxiliadora Feminina porque uma faísca de fofoca havia sido transformada pelas más-línguas em um escândalo incendiário. O coral havia se dissolvido por conta da quantidade de solos dados a um suposto cantor preferido entre os outros. Até a Sociedade de Empenho Cristão estava em polvorosa por conta de críticas de dois de seus oficiais. Quanto à catequese, o pedido de demissão do superintendente e de dois professores havia sido a gota d'água, e por isso o incomodado pastor havia ido para o bosque quieto para rezar e meditar.

Sob a copa verde das árvores, o reverendo Paul Ford encarou de frente a situação. Na sua opinião, a crise se instalara. Alguma coisa precisava ser feita, e imediatamente. Todas as obras da igreja estavam paralisadas. Os cultos de domingo, os encontros semanais de oração, os chás dos missionários e até os jantares e outros eventos sociais estavam sendo frequentados por cada vez menos pessoas. Era verdade que alguns funcionários escrupulosos ainda seguiam trabalhando. Mas eles viviam brigando; e sempre demonstravam estar bastante cientes de todos os olhares críticos dirigidos a eles, e das línguas que não tinham mais o que fazer além de falar do que os olhos haviam visto.

E, por conta de tudo isso, o reverendo Paul Ford compreendeu muito bem que ele (pastor de Deus), a igreja, o vilarejo e até o próprio cristianismo estavam sofrendo, e iriam sofrer ainda mais, a não ser que...

Era claro que alguma coisa deveria ser feita, e feita imediatamente. Mas o quê?

O pastor retirou devagar do bolso algumas anotações que ele havia feito para o sermão do próximo domingo. Ele examinou-as franzindo as sobrancelhas. Seus lábios ficaram sérios à medida que ele, em voz alta, leu os versículos que estava determinado a dizer:

Mas ai de vós, escribas e fariseus hipócritas! Vós fechais aos homens o Reino dos céus. Vós mesmos não entrais e nem deixais que entrem os que querem entrar.

Ai de vós, escribas e fariseus hipócritas! Devorais as casas das viúvas, fingindo fazer longas orações. Por isso, sereis castigados com muito mais rigor.

Ai de vós, escribas e fariseus hipócritas! Pagais o dízimo da hortelã, do endro e do cominho, e desprezais os preceitos mais importantes da lei: a justiça, a misericórdia, a fidelidade. Eis o que era preciso praticar em primeiro lugar, sem, contudo, deixar o restante.

Aquela era uma acusação pública amargurada. Nos caminhos verdes do bosque, a voz grave do pastor soou mordaz. Até os pássaros e esquilos pareciam ter ficado em silêncio, surpreendidos. Foi uma oportunidade para que o pastor tivesse uma impressão vívida de como aquelas palavras repercutiriam no próximo domingo, quando ele deveria pronunciá-las diante de seus paroquianos em meio ao silêncio sagrado da igreja.

Seus paroquianos! Eles *eram* seus paroquianos. Seria ele capaz de dizer o sermão? Teria ele a ousadia? Ou não? Aquela era uma acusação pública assustadora, mesmo sem contar as palavras que seguiriam aos trechos da Bíblia, palavras de sua autoria. Ele rezara e rezara. Ele havia suplicado muito por ajuda, por orientação. Ele desejava – oh, e como ele seriamente desejava! – agora, em meio a essa crise, fazer a coisa certa. E seria esta a coisa certa?

Devagar, o pastor dobrou seus papéis e guardou-os no bolso. Depois, com um suspiro que era quase um gemido, desabou sentado aos pés de uma árvore e cobriu o rosto com as mãos.

Foi ali que Poliana, a caminho de casa vindo da mansão dos Pendleton, o encontrou. Com um gritinho, ela correu na direção dele.

– Oh, oh, senhor Ford! O senhor… o *senhor* por acaso quebrou a *sua* perna, ou… ou alguma outra coisa? – arquejou ela.

O pastor tirou as mãos do rosto e olhou para cima com rapidez. Ele tentou sorrir.

– Não, querida... certamente que não! Estou apenas... descansando.

– Ah – suspirou Poliana, e relaxou um pouco. – Está tudo bem, então. Sabe, o senhor Pendleton *tinha* quebrado a perna quando o encontrei… mas ele estava deitado, e o senhor está sentado.

– Sim, eu estou sentado; e não quebrei nada… nada que os médicos possam consertar.

As últimas palavras foram ditas muito baixo, mas Poliana as ouviu. Seu semblante mudou rapidamente. Seus olhos brilharam com uma solidariedade carinhosa.

– Sei do que o senhor está falando: tem alguma coisa o aborrecendo. Papai costumava se sentir assim em vários momentos. Acho que os pastores sentem isso... na maioria das vezes. Sabe, há muitas coisas que de algum modo ou de outro depende deles.

O reverendo Paul Ford se virou para Poliana um tanto surpreendido.

– *Seu* pai era pastor, Poliana?

– Sim, senhor. O senhor não sabia? Achei que todos soubessem. Ele se casou com a irmã da tia Polly, que foi a minha mãe.

– Ah, estou entendendo. Mas, sabe, não faz muitos anos que estou aqui; então, não conheço as histórias de todas as famílias.

– Sim, senhor... quero dizer, não, senhor – disse sorrindo Poliana.

Fez-se uma longa pausa. O pastor, ainda sentado aos pés da árvore, pareceu ter se esquecido da presença de Poliana. Ele havia retirado alguns papéis do bolso e os desdobrado; mas ele não olhava para os papéis. Em vez disso, estava com o olhar fixo em uma folha no chão não muito longe dali, e nem era uma folha bonita. Era uma folha seca e morta. Poliana, olhando para ele, sentiu um pouco de pena.

– Está... está fazendo um dia bonito – começou esperançosa ela.

Por um instante não houve resposta; depois, o pastor olhou para cima, assustado.

– O quê? Ah!... sim, está fazendo um dia muito bonito.

– E também não está fazendo frio, apesar de ser outubro – observou ainda mais esperançosa Poliana. – O senhor Pendleton estava com a lareira acesa, mas ele disse que não era por necessidade. Era só para olhar para o fogo. Eu gosto de olhar fogueiras, e o senhor?

Não houve resposta desta vez, apesar de Poliana ter esperado pacientemente antes de tentar outra vez, só que por outro caminho.

– O senhor gosta de ser pastor?

Desta vez o reverendo Paul Ford olhou para cima muito rápido.

– Se eu gosto... Ora, que pergunta estranha! Por que está me perguntando isso, minha querida?

– Por nada... só pela aparência do senhor. Ela me fez lembrar do meu pai. Ele fazia essa mesma cara... às vezes.

– É mesmo? – O tom de voz do pastor era educado, mas seus olhos haviam se fixado outra vez na folha seca no chão.

– Sim, e assim como fiz com o senhor, eu costumava perguntar a ele se ele gostava de ser pastor.

O homem embaixo da árvore deu um sorriso um tanto triste.

– Então... o que ele costumava responder?

– Ah, ele sempre dizia que gostava, é claro, mas muitas vezes ele também dizia que se não fosse pelas escrituras de júbilo, ele não seria pastor por nem mais um minuto.

– Escrituras... de *quê*? – O reverendo Paul Ford tirou os olhos da folha e admirou surpreso o rostinho feliz de Poliana.

– Bem, era assim que papai costumava chamá-las – disse ela rindo. – É claro que na Bíblia elas não têm esse nome. Mas são todas aquelas escrituras que começam com "Alegrai-vos no senhor", ou "Regozijai", ou "Bradem de alegria", e tudo mais, sabe... há muitas delas. Certa vez, quando papai se sentia particularmente mal, ele as contou. Há oitocentas escrituras de júbilo na Bíblia.

– Oitocentas!

– Sim... oitocentas escrituras que dizem que devemos nos sentir jubilosos e contentes, sabe; é por isso que papai as chamava de "escrituras de júbilo".

– Ah! – O rosto do pastor estampava uma expressão estranha. Seu olhar agora estava fixo nas palavras na parte de cima do papel que ele tinha em mãos: – "Ai de vós, escribas e fariseus hipócritas!" E o seu pai... gostava dessas "escrituras de júbilo" – murmurou ele.

– Ah, sim – assentiu Poliana. – Ele disse que, no primeiro dia em que pensou em contá-las, se sentiu melhor na mesma hora. Ele disse que se Deus tinha se dado o trabalho de nos dizer oitocentas vezes para que nos contentemos e nos regozijemos, é porque realmente deve querer *muito* que o façamos. E o meu pai ficava constrangido por não ter feito isso mais vezes. Depois desse dia, essas escrituras passaram a confortá-lo muito, sabe, quando as coisas não iam bem, ou quando as senhoras da Sociedade Auxiliadora Feminina brigavam... quero dizer, quando elas *discordavam* de alguma coisa – corrigiu-se Poliana. – Ora, foram também essas escrituras, disse meu pai, que *o* inspiraram a pensar no jogo; o jogo começou *comigo* e as muletas, mas ele disse que foram as escrituras de júbilo que o inspiraram.

– E que jogo seria esse? – perguntou o pastor.

– É sobre encontrar algo que o deixe contente com relação a qualquer coisa, sabe. Como eu disse, ele começou comigo e com as muletas. – E mais uma vez Poliana contou a história dela, mas, desta vez, para um homem que prestava atenção com olhos ternos e ouvidos compreensivos.

Mais tarde, Poliana e o pastor desceram a colina de mãos dadas. O rosto de Poliana estava radiante. Poliana adorava falar, e já fazia algum tempo que estava falando: parecia haver uma infinidade de coisas que o pastor queria saber sobre o jogo, sobre o pai de Poliana e sua antiga vida em família.

Ao pé da colina, eles seguiram caminhos diferentes, e Poliana e o pastor, cada um por um caminho diferente, seguiram sozinhos.

Na sala de leitura do reverendo Paul Ford naquele fim de tarde, ele ficou sentado pensando. Próximo a ele, na escrivaninha, havia folhas soltas de papel: suas anotações para o sermão. Sob o lápis que ele segurava nos dedos havia outras folhas de papel, mas em branco: o sermão que ele ainda não havia escrito. Mas o pastor não estava pensando no que havia escrito ou no que pretendia escrever. Em sua imaginação, ele estava longe, em um vilarejo do oeste com um pastor missionário que era pobre, doente, preocupado e quase sozinho no mundo, mas que examinava a Bíblia para ver quantas vezes o seu Senhor e Mestre lhe havia dito que "se regozijasse e ficasse contente".

Depois de um tempo, com um longo suspiro, o reverendo se animou, voltou do vilarejo no oeste e ajeitou as folhas de papel sob a mão.

"Mateus, 23:13-14,23", escreveu ele; depois, com um gesto de impaciência, deixou o lápis cair e pegou uma revista deixada na mesa por sua esposa alguns minutos antes. Sem energia, seus olhos cansados percorreram parágrafo depois de parágrafo até que estas palavras os detiveram:

Um pai certo dia disse a seu filho, Tom, que ele sabia que havia se recusado a encher a caixa para lenha da mãe naquela manhã: "Tom, tenho certeza de que você vai ficar contente de ir buscar um pouco de lenha para sua mãe." Sem dizer uma palavra, Tom foi buscar a lenha. Por quê? Simplesmente porque o pai mostrou para ele com clareza que esperava que ele fizesse a coisa certa. Suponhamos que ele tivesse dito: "Tom, escutei o que você disse para sua mãe esta manhã, e sinto vergonha de você. Vá agora encher essa caixa para lenha!" Garanto que, o que dependesse de Tom, a caixa para lenha ainda estaria vazia!

O pastor continuou lendo: uma palavra aqui, uma linha ali, um parágrafo acolá:

O que os homens e as mulheres precisam é de estímulo. Seus poderes naturais de resistência devem ser fortalecidos, e não enfraquecidos... Em vez de sempre insistir nos defeitos de um homem, fale para ele de suas virtudes. Tente retirá-lo desta rotina de maus hábitos. Mostre para ele o eu melhor dele, o seu verdadeiro eu, que é capaz de ousar e vencer!... A influência de um caráter bonito, prestativo e esperançoso é contagiante, e pode revolucionar todo um vilarejo... As pessoas emanam aquilo que têm em seu coração e em sua mente. Se um homem se sente gentil e prestativo, seus vizinhos sentirão o mesmo também, em pouco tempo. Mas se ele repreende, franze as sobrancelhas e critica, seus vizinhos, em contrapartida, vão devolver os mesmos sentimentos, e com juros!... Quando você procura o que é ruim, espera o que é ruim, obtém o que é ruim. Quando você sabe que vai encontrar o que é bom, você obtém o que é bom... Diga a seu filho Tom que você sabe que ele vai ficar contente de encher a caixa para lenha; depois, basta observá-lo começar a enchê-la, alerta e interessado!

O pastor largou o papel e ergueu o queixo. Em um instante ele estava de pé, pisoteando o pequeno cômodo de um lado para o outro, de um lado para o outro. Depois, mais tarde, ele respirou fundo e se jogou na cadeira em frente à escrivaninha.

– Se Deus me ajudar, vou conseguir! – exclamou ele baixinho. – Vou dizer a todos os meus Tom que *eu sei* que eles vão ficar contentes de encher aquela caixa para lenha! Vou dar tarefas para eles fazerem e vou deixá-los tão contentes de simplesmente executar essas tarefas que eles não vão ter *tempo* de olhar para as caixas de lenha dos vizinhos! – Ele pegou suas anotações, rasgou as folhas, e jogou-as diante de si, de modo que, de um lado da cadeira, se lia "Ai de vós", e, do outro, "escribas e fariseus hipócritas!", enquanto seu lápis voou sobre a folha lisa e em branco diante dele, depois de sublinhar "Mateus, 23:13-14,23".

Então, aconteceu que o sermão do reverendo Paul Ford no domingo seguinte foi um verdadeiro apelo àquilo que havia de melhor em todo homem, mulher ou criança que o ouviu; e a escritura que ele usou era uma das incríveis oitocentas de Poliana:

"Alegrai-vos no Senhor, e regozijai-vos, vós, os justos; e cantai alegremente, todos vós que sois retos de coração."

Capítulo 23

Um acidente

A pedido da senhora Snow, Poliana foi certo dia ao consultório do doutor Chilton pegar o nome de um remédio que a senhora Snow havia esquecido. Por acaso, Poliana jamais havia entrado no consultório do doutor Chilton.

– Eu jamais estive na sua casa! Esta é a sua casa, não? – perguntou ela enquanto olhava à volta com interesse.

O médico deu um sorriso um tanto triste.

– Sim... do jeito que você está vendo – respondeu ele à medida que escrevia algo no bloco que tinha em mãos. – Mas não é uma casa que se preze, Poliana. São apenas cômodos, e não um lar.

Poliana balançou a cabeça. Seus olhos brilhavam com uma compreensão solidária.

– Eu sei. São necessários o toque e o coração de uma mulher, ou a presença de uma criança, para formar um lar – disse ela.

– Hein? – O médico deu meia-volta de repente.

– O senhor Pendleton me contou – falou Poliana, mais uma vez balançando a cabeça – sobre o toque e o coração de uma mulher, ou a presença de uma criança, sabe. Por que o senhor não arruma o toque e o coração de uma mulher, doutor Chilton? Ou quem sabe o senhor não pode abrigar o Jimmy Bean... caso o senhor Pendleton não queira ficar com ele.

O doutor deu uma risada um tanto forçada.

– Então, o senhor Pendleton disse que são necessários o toque e o coração de uma mulher para formar um lar, não é mesmo? – indagou ele evasivamente.

– Sim. Ele também diz que onde ele mora é apenas uma casa. Por que o senhor não arruma, doutor Chilton?

– Por que eu... o quê? – o médico voltou a se virar em direção à mesa.

– Arruma o toque e o coração de uma mulher. Ah, e eu esqueci. – o rosto de Poliana de súbito estampou uma expressão de dor. – Acho que devo lhe contar. Não era a tia Polly que o senhor Pendleton amou faz muito tempo; então, nós... nós não vamos nos mudar para lá. Sabe, eu disse ao senhor que eles eram namorados... mas eu me enganei. Espero que o *senhor* não tenha contado a ninguém – concluiu ansiosamente ela.

– Não... eu não contei a ninguém, Poliana – respondeu o médico de um modo um tanto estranho.

– Ah, está tudo certo então – suspirou aliviada Poliana. – Sabe, o senhor foi a única pessoa para quem eu contei, e eu achei que o senhor Pendleton fez uma cara estranha quando eu disse que havia contado ao *senhor*.

– Fez mesmo? – os lábios do médico se retorceram.

– Sim. E é claro que ele não iria querer que muitas pessoas soubessem disso, visto que não é verdade. Mas por que o senhor não arruma o toque e o coração de uma mulher, doutor Chilton?

Fez-se um momento de silêncio; depois, muito seriamente, o médico disse:

– Essas coisas não se consegue só pedindo, garotinha.

Pensativa, Poliana franziu as sobrancelhas.

– Mas eu achei que o *senhor* seria capaz de arranjar isso – argumentou ela. A ênfase lisonjeira era inconfundível.

– Obrigado – disse o médico rindo e com as sobrancelhas erguidas. Depois, disse com seriedade: – Receio que algumas de suas irmãs mais velhas não teriam essa mesma... certeza. Pelo menos elas... elas não se mostraram tão... amáveis assim – observou ele.

Poliana voltou a franzir as sobrancelhas. Depois, arregalou os olhos, surpresa.

– Ora, doutor Chilton, o senhor não quer dizer... o senhor por acaso tentou conquistar a mão e o coração de alguém algum dia, como o senhor Pendleton, e... e não conseguiu, foi isso?

O médico se levantou um tanto abruptamente.

– Calma, calma, Poliana, deixe isso para lá agora. Não deixe que sua cabecinha se preocupe com os problemas dos outros. Que tal você correr de volta para a casa da senhora Snow? Eu já escrevi o nome do remédio e as instruções de como ela deve tomá-lo. Você queria mais alguma coisa?

Poliana balançou a cabeça em negativa.

– Não, senhor. Obrigada, senhor – murmurou sobriamente ela, enquanto seguia em direção à porta. Do pequeno corredor, ela voltou a falar, com o rosto brilhando de repente: – De qualquer modo, fico contente por não terem sido a mão e o coração da minha mãe que o senhor não conquistou, doutor Chilton. Tchau!

Foi no último dia de outubro que o acidente aconteceu. Poliana, indo com pressa da escola para casa, atravessou a rua a uma distância aparentemente segura de um automóvel que se aproximava com rapidez.

Ninguém depois parecia poder dizer exatamente o que aconteceu. Tampouco encontrou-se alguém que pudesse dizer por que aquilo acontecera, e de quem havia sido a culpa. Poliana, de todo modo, às cinco da tarde, foi levada, inconsciente e com o corpo frouxo, para o quartinho de que ela tanto gostava. Lá, diante de uma tia Polly de rosto lívido e de uma Nancy que não parava de chorar, ela foi despida com carinho e deitada na cama, enquanto, do vilarejo, chamado às pressas por telefone, o doutor Warren vinha tão rápido quanto outro automóvel era capaz de levá-lo.

– Bastava olhar para o rosto da tia dela – disse Nancy aos soluços para o velho Tom no jardim, depois que o médico havia chegado e estava encerrado no quarto silencioso. – Bastava olhar para o rosto da tia dela para ver que não era o dever que a afligia. Suas mãos não tremem, e seus olhos não parecem querer deter o próprio Anjo da Morte quando você está apenas cumprindo com seu *dever*, senhor Tom, não mesmo, não mesmo!

– Ela se machucou... com gravidade? – indagou com a voz embargada o homem.

– Não dá para saber – soluçou Nancy. – Ela estava prostrada e muito lívida, praticamente morta; mas a senhorita Polly disse que ela não estava morta; e, se alguém pode ter certeza disso, é a senhorita Polly, pois ela ficou o tempo todo escutando e sentindo o pulso e a respiração dela.

– Você não conseguiu ver onde ela se machucou? Aquele... aquele... – o rosto do velho Tom se retorceu convulsivamente.

Os lábios de Nancy relaxaram um pouco.

– Eu queria que o senhor o *xingasse* de algo, algo bem forte. Que droga! E pensar que ele atropelou nossa garotinha! De todo modo, eu sempre odiei essas máquinas fedorentas, sempre, sempre!

– Mas onde ela se machucou?

– Eu não sei, eu não sei – gemeu Nancy. – Ela tem um corte pequeno naquela cabeça abençoada, mas não é grave... Não é grave... disse a senhorita Polly. Ela disse que receia que seja um ferimento inferno.

Um lampejo cruzou os olhos do velho Tom.

– Acho que você quer dizer interno, Nancy – disse ele secamente. – Ela tem ferimentos infernos, é verdade: que a peste negra mate aquele automóvel!... mas acho que a senhorita Polly não usou essa expressão.

– Hein? Bem, eu não sei, eu não sei – gemeu Nancy, e balançou a cabeça à medida que se virou para ir embora. – Parece que eu não vou conseguir aguentar até aquele médico sair dali. Queria ter umas roupas para lavar... a maior pilha de roupas que eu jamais vi, quero sim, quero sim! – lamentou-se, apertando as mãos em um gesto de impotência.

Mesmo depois que o médico já havia ido, no entanto, Nancy parecia ter pouco a dizer ao senhor Tom. Ela parecia não ter quebrado nenhum osso, e o corte foi apenas uma consequência leve do atropelamento; mas o médico fizera uma cara muito séria, sacudira a cabeça devagar, e dissera que só com o tempo daria para dizer se houve algo mais. Depois que ele havia saído, a senhorita Polly ficara mais lívida e absorta do que antes. A paciente ainda não havia recobrado totalmente a consciência, mas no momento ela parecia estar repousando confortavelmente, como era de se esperar. Uma enfermeira formada havia sido chamada, e chegaria naquela noite. Isso era tudo. E Nancy se virou soluçando e voltou para a cozinha.

Foi em algum momento na manhã seguinte que Poliana abriu os olhos e se deu conta de onde estava.

– Ora, tia Polly, o que houve? Já não é dia? Por que eu não me levanto? – gritou ela. – Tia Polly, eu não consigo me levantar – ela gemeu e caiu sobre o travesseiro depois de uma tentativa fracassada de se levantar.

– Não, querida, eu não tentaria me levantar se fosse você... ainda não – a tia tentou acalmá-la rapidamente, mas em um tom de voz baixo.

– Mas o que houve? Por que eu não consigo me levantar?

A senhorita Polly fez uma pergunta angustiada para a mulher de chapéu branco ao lado da janela, fora do alcance da vista de Poliana.

A jovem concordou com a cabeça.

– Conte para ela – disseram os lábios.

A senhorita Polly pigarreou e tentou engolir o nó na garganta que mal lhe permitia falar.

– Você foi atropelada, querida, por um automóvel, ontem à noite. Mas não se preocupe com isso agora. A titia quer que você descanse e volte a dormir.

– Atropelada? Ah, sim; eu… eu corri. – Os olhos de Poliana estavam aturdidos. Ela botou uma das mãos na testa. – Bem, aconteceu mesmo, e... dói!

– Sim, querida, mas não se preocupe. Apenas… apenas descanse.

– Mas, tia Polly, eu me sinto muito estranha, muito mal! Sinto minhas pernas muito… muito estranhas… pois não as consigo *sentir*!

Com um olhar suplicante para a enfermeira, a senhorita Polly custou a ficar de pé e se virou para sair dali. A enfermeira se aproximou com rapidez.

– Que tal me deixar conversar com a senhorita agora? – começou alegremente ela. – Já é hora de nos conhecermos melhor, e eu vou me apresentar. Sou a senhorita Hunt, e vim ajudar sua tia a cuidar da senhorita. E a primeira coisa que vou pedir que faça é engolir estes pequenos comprimidos brancos.

Os olhos de Poliana ficaram um tanto furiosos.

– Mas eu não quero que cuidem de mim... quer dizer, não por muito tempo! Quero me levantar. A senhorita sabe que eu frequento a escola. Posso ir para a escola amanhã?

Da janela onde a senhorita Polly agora estava de pé veio um grito meio abafado.

– Amanhã? – sorriu radiante a enfermeira. – Bem, eu não acho que vá liberá-la tão cedo assim, senhorita Poliana. Mas tome estes comprimidos, por favor, e vamos ver qual *será o efeito* deles.

– Tudo bem – concordou um tanto hesitante Poliana. – Mas eu *preciso* ir para a escola depois de amanhã... tenho prova nesse dia, sabe.

Ela voltou a falar um minuto depois. Falou da escola, do carro e de como a cabeça doía; mas sua voz foi logo diminuindo, até que ficou calada por causa do efeito abençoado dos comprimidinhos brancos que havia tomado.

Capítulo 24

John Pendleton

Poliana não foi a escola no dia seguinte nem no próximo. Ela, no entanto, não se deu conta disso, exceto por um momento, quando um breve período em que recobrou a consciência mandou perguntas insistentes para seus lábios. Poliana não se deu conta de nada, de fato, com muita clareza até que uma semana se havia passado; depois, a febre caiu, a dor diminuiu um pouco e ela recobrou totalmente a consciência. Tiveram então de dizer outra vez a ela o que havia acontecido.

– Então eu estou machucada, e não doente – suspirou ela por fim. – Bem, fico contente com isso.

– C-contente, Poliana? – perguntou a tia, que estava sentada na beira da cama.

– Sim. Prefiro ter as pernas quebradas, como o senhor Pendleton, do que uma invalidez para a vida toda, como a senhora Snow, sabe. Pernas quebradas se curam; invalidez para a vida toda, não.

A senhorita Polly, que não havia dito nada sobre pernas quebradas, levantou-se de súbito e foi até a pequena penteadeira do outro lado do quarto. Ela agora pegava um objeto atrás do outro e voltava a deixá-los na penteadeira, de um modo despropositado muito diferente da sua firmeza costumeira. No entanto, seu rosto não parecia nada despropositado: estava lívido e absorto.

Na cama, Poliana ficou deitada piscando para a faixa de cores no teto, que vinha de um dos prismas na janela.

– Fico contente também de eu não ter varíola – murmurou satisfeita ela. – Isso seria pior do que sardas. E fico contente que não seja coqueluche, pois eu já peguei isso, e é horrível, e fico feliz que não seja apendicite ou sarampo, porque eles são contagiosos – o sarampo pelo menos, quero dizer –, e assim não deixariam a senhora ficar aqui.

– Você parece... ficar contente por muitas coisas, minha querida – gaguejou a tia Polly, que botou as mãos em volta do pescoço como se a gola de sua roupa estivesse apertada.

Poliana riu de leve.

– Fico mesmo. E tenho pensado em várias coisas que me deixam contente, muitas delas, durante este tempo em que passei olhando esse arco-íris. Adoro arcos-íris. Fico muito contente pelo senhor Pendleton ter me dado esses prismas! E fico contente por algumas coisas de que ainda não falei. Não sei, mas estou quase contente por eu ter me acidentado.

– Poliana!

Poliana riu de leve outra vez. Ela olhou para a tia com olhos brilhantes.

– Bem, sabe, desde que eu me acidentei, a senhora me chamou de "querida" várias vezes, coisa que não fazia antes. E eu adoro que me chamem de "querida"... As pessoas da família, quero dizer. Algumas das senhoras da Sociedade Auxiliadora Feminina me chamavam assim; e é claro que era muito bom, mas não tão bom quanto se elas fossem da minha família, como a senhora. Ah, tia Polly, eu fico muito contente que a senhora seja minha tia!

A senhorita Polly não respondeu. Ela estava com as mãos em volta da garganta outra vez. Seus olhos estavam rasos d'água. Ela havia se virado, e saía apressadamente do quarto pela mesma porta pela qual a enfermeira acabara de entrar.

Foi naquela tarde que Nancy correu agitada até o velho Tom, que estava limpando arreios no celeiro.

– Senhor Tom, senhor Tom, adivinhe o que aconteceu – arquejou ela. – O senhor não seria capaz de adivinhar em mil anos... não ia mesmo, não ia mesmo!

– Então não vou nem tentar – retrucou o homem com tristeza –, especialmente porque é provável que eu não tenho mais dez anos de vida. É melhor me contar de uma vez, Nancy.

– Bem, preste atenção então. Quem você acha que está agora na sala de estar com a patroa? Quem?

O velho Tom balançou a cabeça.

– Não há como saber – afirmou ele.

– Sim há. Vou lhe contar. É... John Pendleton!

– O que é isso agora? Você está de brincadeira, garota.

– Não estou não… eu mesma abri a porta para ele... com as muletas e tudo! Fiquei boba na hora em que ele chegou e estava esperando na porta, como se ele não fosse aquele velho rabugento que ele é, que não fala com ninguém! Imagine só, senhor Tom… *Ele* visitando *ela*!

– Ora, qual é o problema? – perguntou o velho um tanto bruscamente.

Nancy lançou um olhar de desdém para ele.

– Até parece que o senhor não sabe mais do que eu! – zombou ela.

– Hein?

– Ah, não se faça de inocente – retrucou ela com uma indignação fingida. – Para começo de conversa, foi o senhor que me mandou nesta missão impossível!

– Do que você está falando?

Nancy olhou de soslaio para a porta aberta do celeiro em direção à casa, e deu um passo mais para perto do velho.

– Preste atenção! Foi o senhor quem ficou me falando que a senhorita Polly tinha um namorado, não foi? Bem, um dia pensei ter somado 2 e 2, e dessa soma resultou 4. Mas no fim das contas o resultado acabou sendo 5… e nada de 4, nada de 4!

Com um gesto de indiferença, o velho Tom se virou e voltou ao trabalho.

– Se você vai conversar comigo, tem de falar com clareza – declarou irritado. – Eu nunca fui bom de adivinhações.

Nancy riu.

– Bem, a coisa aconteceu assim – explicou ela. – Eu ouvi uma coisa que me fez pensar que ele e a senhorita Polly eram namorados.

– *O senhor Pendleton*! – o velho Tom se empertigou.

– Sim. Ah, mas agora eu sei que ele não era. Ele foi apaixonado pela mãe daquela bendita criança, e é por isso que ele queria…

mas deixe essa parte para lá – acrescentou apressada, lembrando-se bem a tempo da promessa que havia feito a Poliana de não contar a ninguém que o senhor Pendleton gostaria que ela fosse ir morar com ele. – Bem, eu andei assuntando sobre ele com algumas pessoas desde então, e eu descobri que ele e a senhorita Polly não se falam há anos, e que ela não pode vê-lo pintado de ouro por causa do boato bobo de que eles tinham um caso quando ela tinha 18 ou 20 anos.

– Sim, eu me lembro – assentiu o velho Tom. – Isso foi três ou quatro anos depois que a senhorita Jennie o rejeitou como amante e fugiu com aquele outro homem. A senhorita Polly sabia disso, é claro, e teve pena dele. Então, ela tentou ser simpática. Talvez ela tenha exagerado um pouco... ela odiava muito aquele pastor que havia fugido com sua irmã. Em algum momento, alguém começou a criar problemas para ela. Diziam que ela estava correndo atrás dele.

– Ela... correndo atrás de qualquer homem! Imagina! – exclamou Nancy.

– Eu sei, mas esse foi o boato que correu – afirmou o velho Tom –, e é claro que nenhuma mulher de fibra suportaria isso. Em seguida, por volta da mesma época, ela arranjou um namorado sim, e teve problemas com *ele*. Depois disso, ela se fechou como uma ostra e não teve mais relacionamentos por um bom tempo. O coração dela parecia haver endurecido.

– Sim, eu sei. Já ouvi essa história – retrucou Nancy –, e é por isso que eu fiquei chocada quando *o* vi na porta... ele, com quem ela não fala há anos! Mas deixei-o entrar e fui avisá-la.

– E o que ela disse? – o velho Tom prendeu a respiração.

– Nada... a princípio. Ela permaneceu tão imóvel que eu achei que não tinha ouvido; e eu estava prestes a repetir quando ela disse baixinho: "Diga ao senhor Pendleton que eu já vou descer." E eu fui e falei para ele. Depois, vim até aqui e contei ao senhor – concluiu Nancy enquanto olhava de soslaio por cima do ombro em direção à casa.

– Humpf! – bufou o velho Tom; depois, voltou a trabalhar.

Na pomposa "sala de visitas" do solar dos Harrington, o senhor John Pendleton não teve de esperar muito até que passadas rápidas lhe indicaram que a senhorita Polly estava vindo. Enquanto ele tentava se levantar, ela fez um gesto para que continuasse sentado. Ela não estendeu a mão, no entanto, e seu rosto tinha uma frieza reservada.

– Minha visita é para saber de... Poliana – começou ele imediatamente, de modo um tanto severo.

– Obrigada. O quadro dela não mudou – disse a senhorita Polly.

– E isso quer dizer... por que não me fala logo *como* ela está? – a voz dele agora já não era tão firme.

Uma rápida pontada de dor percorreu o rosto da mulher.

– Eu não posso, e queria poder!

– Quer dizer... que a senhorita não sabe?

– Não.

– Mas... e o médico?

– O doutor Warren parece estar à deriva. Ele agora está se correspondendo com um especialista de Nova York. Eles até já marcaram uma consulta.

– Mas... quais foram os ferimentos dela de que você sabe?

– Um corte leve na cabeça, um ou dois hematomas, e... e uma lesão na coluna que parece ter provocado... uma paralisia da cintura para baixo.

O homem abafou um grito. Fez-se um breve silêncio. Depois, com a voz rouca, ele perguntou:

– E Poliana... como ela está... lidando com a situação?

– Ela não entende... nada... sobre como as coisas são na verdade. E eu *não posso* contar para ela.

– Mas ela deve saber... de alguma coisa!

A senhorita Polly levou as mãos à garganta, um gesto que ultimamente havia se tornado muito comum para ela.

– Ah, sim. Ela sabe que não consegue... se mexer; mas ela acha que está com as pernas... quebradas. Ela diz que está contente pelo fato de serem apenas pernas quebradas, como no caso do senhor, e não uma "invalidez para a vida toda", como no caso da senhora Snow; porque pernas quebradas têm cura, e a outra coisa, não. Ela diz coisas desse tipo o tempo todo, e… eu acho que vou acabar... morrendo!

Em meio à confusão de lágrimas nos próprios olhos, o homem viu o rosto diante do seu, crispado pela emoção. Involuntariamente, seus pensamentos voltaram para o que Poliana havia dito quando ele fizera sua última súplica para que ela morasse com ele: "Eu não poderia abandonar a tia Polly... não agora!"

Foi esse pensamento que fez com que ele perguntasse com muita delicadeza, assim que conseguiu controlar a própria voz:

– Fico me perguntando se a senhorita Harrington sabe do esforço que fiz para que Poliana fosse morar comigo.

– Com o *senhor*... Poliana!

O homem encolheu o corpo diante do tom da voz dela; mas o tom da própria voz ainda estava impessoalmente indiferente quando ele voltou a falar.

– Sim. Eu queria adotá-la... legalmente, entende? Queria torná-la minha herdeira, é claro.

A mulher na cadeira em frente à dele relaxou um pouco. De súbito ocorreu a ela que este teria sido um futuro brilhante para Poliana… esta adoção; e ela se perguntou se Poliana era crescida o bastante e interesseira o bastante... para ficar tentada pelo dinheiro e pela posição deste homem.

– Tenho muito carinho por Poliana – prosseguiu o homem. – Sinto carinho por ela mesma e por conta de… sua mãe. Estava disposto a dar a Poliana o amor que venho guardando faz 25 anos.

– *Amor* – a senhorita Polly de repente lembrou por que *ela* havia acolhido esta criança para começo de conversa; e, com a lembrança, veio a recordação das palavras que a própria Poliana pronunciara naquela mesma manhã: "Eu adoro que me chamem de 'querida'... As pessoas da família, quero dizer." E a esta garotinha sedenta de amor havia sido oferecida uma afeição guardada por 25 anos; e ela era crescida o bastante para se sentir tentada pelo amor! Foi com o coração se partindo que a senhorita Polly constatou isso. Também constatou outra coisa: a monotonia de seu futuro agora sem a presença de Poliana.

– E então? – disse ela. E o homem, reconhecendo o autocontrole por baixo da dureza do tom de voz dela, deu um sorriso amarelo.

– Ela recusou a proposta – respondeu ele.

– Por quê?

– Ela não queria abandonar a senhorita. Ela disse que a senhorita estava sendo muito boa para ela. Ela disse que queria permanecer com a senhorita… e disse que *achava* que a senhorita queria que ela ficasse aqui – concluiu ele enquanto se levantava.

Ele não olhou na direção da senhorita Polly. Com determinação, virou o rosto em direção à porta. Mas imediatamente ouviu um passo rápido ao seu lado, e encontrou uma trêmula mão estendida em sua direção.

– Quando o especialista vier, e eu souber de qualquer coisa definitiva sobre Poliana, avisarei o senhor – disse uma voz trêmula. – Até mais ver... e obrigada pela visita. Poliana vai ficar satisfeita.

Capítulo 25
Um jogo de espera

No dia seguinte ao da visita de John Pendleton ao solar dos Harrington, a senhorita Polly incumbiu-se da tarefa de preparar Poliana para a consulta com o especialista.

– Poliana, minha querida – começou ela com gentileza –, decidimos que queremos que você se consulte com outro médico além do doutor Warren. Um outro médico talvez nos diga algo novo que possamos fazer para que você fique boa mais rápido, sabe?

O rosto de Poliana se iluminou com uma luz de alegria.

– O doutor Chilton! Ah, tia Polly, eu adoraria me consultar com o doutor Chilton! Eu queria ter me consultado com ele desde o princípio, mas achei que a senhora não ia concordar, pois ele a viu no solário aquele dia, sabe; então, preferi não falar nada sobre isso. Mas fico contente que a senhora queira que ele venha me examinar!

O rosto da tia Polly ficou lívido, depois, corado e, depois, lívido de novo. Mas quando ela respondeu, demonstrou com clareza que estava tentando falar em um tom leve e alegre.

– Ah, não, querida! Eu não estava falando do doutor Chilton. Trata-se de um novo médico… um médico muito famoso de Nova York, que… que sabe muito sobre... ferimentos como os seus.

O rosto de Poliana desabou.

– Não acho que ele saiba nem a metade do que sabe o doutor Chilton.

– Ah, ele sabe sim, tenho certeza, querida.

– Mas foi o doutor Chilton quem medicou a perna quebrada do senhor Pendleton, tia Polly. Se… se a senhora não se importar muito, *eu gostaria* de me consultar com o doutor Chilton... de verdade que sim!

O rosto da tia Polly ficou coberto por uma cor angustiante. Por um instante, ela não disse palavra; depois, disse com gentileza, mas ainda com um toque de sua antiga firmeza severa:

– Pois eu me importo sim, Poliana. Importo-me muito. Eu seria capaz de fazer qualquer coisa... praticamente qualquer coisa por você, minha querida; mas eu... por razões que não convém revelar agora, não quero que o doutor seja chamado para tratar... deste caso. E acredite em mim: ele *não* pode saber tanto sobre... sobre seu problema quanto esse grande médico que vai vir de Nova York amanhã.

Poliana ainda não parecia convencida.

– Mas, tia Polly, se a senhora *amasse* o doutor Chilton...

– *O quê*, Poliana? – A voz da tia Polly estava muito aguda agora. Suas bochechas também estavam muito coradas.

– Estou dizendo que, se a senhora amasse o doutor Chilton, e não amasse o outro médico – suspirou Poliana –, me parece que isso faria alguma diferença no bem que ele poderia provocar; e eu amo o doutor Chilton.

A enfermeira entrou no quarto naquele instante, e a tia Polly se levantou abruptamente com um olhar de alívio no rosto.

– Sinto muito, Poliana – disse ela com um pouco de dureza –, mas receio que você vai ter de deixar que eu julgue o que é melhor desta vez. Além disso, já está tudo arranjado. O médico de Nova York chega amanhã.

No entanto, calhou de o médico de Nova York não vir no "dia seguinte". Quase tarde demais, chegou um telegrama que falava de um atraso inevitável, que se devia a uma doença contraída de repente pelo próprio especialista. Isso fez com que Poliana voltasse a implorar para se consultar com o doutor Chilton, "o que seria muito fácil agora, sabe".

Mas, assim como antes, a tia Polly balançou a cabeça e disse "não, querida" com muita determinação, mas também assegurando ainda mais ansiosamente a Poliana que ela faria qualquer coisa – qualquer coisa menos aquilo – para agradar sua querida Poliana.

À medida que os dias se passaram, um por um, de fato parecia que a tia Polly estava fazendo tudo (menos aquilo) que ela podia para agradar a sobrinha.

– Eu não teria acreditado… você não seria capaz de me fazer acreditar nisso – disse Nancy para o velho Tom certa manhã. – Não parece haver um minuto do dia em que a senhorita Polly não está pela casa esperando para poder fazer alguma coisa por aquele bendito cordeirinho; até deixou o gato ir para o quarto dela... e ela não deixava o Fluffy e o Buffy irem para o andar de cima nem por todo o amor ou o dinheiro deste mundo faz apenas uma semana; e agora ela deixa eles subirem na cama dela só porque isso agrada a senhorita Poliana!

– E quando ela já não tem o que fazer, fica trocando aqueles penduricalhos de vidro de uma janela para outra do quarto para que o sol faça os "arcos-íris dançarem", como a bendita menina chama isso. Ela já mandou Timothy três vezes à estufa de Cobb para comprar flores frescas, isso além dos buquês que mandaram buscar para ela. E, outro dia, encontrei-a sentada em frente à cama com a enfermeira de verdade arrumando o cabelo dela a partir das instruções da senhorita Poliana, que estava na cama com os olhos felizes e radiantes. E eu aposto que a senhorita Polly agora vai passar a usar esse penteado todos os dias… só para agradar aquela bendita criança!

O velho Tom deu uma pequena risada.

– Bem, me parece que a senhorita Polly não está nem um pouco feia agora que tem aqueles cachos em volta da testa – observou ele secamente.

– É claro que não – replicou Nancy com indignação. – Agora ela parece *gente normal*. De fato, ela está quase...

– Cuidado com o que vai dizer, Nancy! – interrompeu o velho, sorrindo devagar. – Você sabe o que disse quando eu lhe contei que ela já foi bonita um dia.

Nancy deu de ombros.

– Bonita não é, obviamente; mas tenho de admitir que não parece mais a mesma mulher, com aqueles laçarotes e aquelas golas de renda que a senhorita Poliana a faz usar em volta do pescoço.

– Eu disse a você – o homem balançou a cabeça. – Eu disse a você que ela não era... velha.

Nancy riu.

– Bem, tenho de admitir que ela já não consegue bancar a velha... como fazia antes de a senhorita Poliana chegar. Diga-me uma coisa, senhor Tom, quem *foi* o namorado dela? Eu ainda não consegui descobrir, não consegui, não consegui!

– Ainda não? – perguntou o velho com um olhar estranho no rosto. – Bem, acho então que não é por mim que você vai saber.

– Ah, senhor Tom, vamos lá – insistiu a garota. – Sabe, não tem muita gente para quem eu *possa* perguntar isso por aqui.

– Talvez não. Mas, de qualquer modo, há uma pessoa que sabe, e que não vai lhe responder – escancarou um sorriso o velho Tom. Depois, de modo abrupto, o brilho se esvaiu dos seus olhos. – Como está ela hoje... a garotinha?

Nancy balançou a cabeça. O rosto dela agora também havia ficado mais sério.

– Está na mesma, senhor Tom. Ela não tem nada diferente que eu consiga notar... ou qualquer outra pessoa, eu acho. Ela simplesmente fica ali deitada e dorme e conversa um pouco, e tenta sorrir e ficar contente porque o sol se põe e a lua nasce, ou algo do gênero, até o ponto em que nosso coração parece que vai se partir de dor.

– Eu sei; é o "jogo"... Deus abençoe o coração meigo dela! – disse o velho Tom, piscando de leve e balançando a cabeça.

– Ela então contou ao *senhor* sobre aquele... jogo?

– Ah, sim, me contou faz muito tempo. – O velho hesitou, mas depois prosseguiu falando, com os lábios um tanto trêmulos. – Eu estava reclamando um dia porque eu tenho as costas muito encurvadas; e o que você acha que aquela coisinha disse para mim?

– Não consigo adivinhar. Não acho que ela conseguiria achar *nada* sobre *isso* que a deixasse contente!

– Mas ela achou. Ela disse que, de qualquer modo, eu deveria ficar contente, pois, assim, eu não tinha de *me abaixar tanto para capinar,* porque eu já estou a meio caminho do chão.

Nancy deu uma risada um tanto melancólica.

– Bem, no fim das contas, isso não me espanta. Dava para saber que ela ia acabar encontrando alguma coisa. Nós duas estamos jogando esse jogo praticamente desde o primeiro dia em que ela chegou, porque ela não tinha ninguém mais com quem jogar... apesar de ter falado... da tia dela.

– *A senhorita Polly*!

Nancy deu uma pequena risada.

– Acho que no fim das contas o senhor não tem uma opinião sobre a patroa tão diferente da minha – comentou ela com desdém.

O velho Tom ficou tenso.

– Eu só estava pensando que o jogo seria… muito surpreendente… para ela – explicou ele de modo solene.

– Bem, sim, acho que seria mesmo… *naquela época*! – retrucou Nancy. – Não sei como seria *agora*. Hoje em dia eu espero qualquer coisa da patroa... até que ela comece a jogar por conta própria!

– Mas a garotinha não falou sobre o jogo com ela... nunca? Acho que ela já falou desse jogo para todas as outras pessoas. Desde que ela se machucou, escuto falar do jogo em todo lugar – disse Tom.

– Bem, ela não contou à senhorita Polly – respondeu Nancy. – Há muito tempo, a senhorita Poliana me disse que não podia contar para ela porque a tia não gostava que a senhorita Poliana falasse de seu pai; e, como o jogo havia sido inventado pelo pai, ela teria de mencioná-lo se fosse contar à tia sobre o jogo. Então, ela nunca contou.

– Ah, entendi, entendi – assentiu lentamente o velho. – Eles nunca gostaram daquele pastor… nenhum deles, porque foi ele quem separou a senhorita Jennie deles. E a senhorita Polly, por mais jovem que fosse na época, jamais conseguiu perdoá-lo; ela sentia muito carinho pela senhorita Jennie... naquela época. Entendi, entendi. Foi uma confusão terrível – disse ele, suspirando e se virando para outro lado.

– Sim, foi mesmo. Uma confusão completa, completa – respondeu Nancy, também suspirando, à medida que voltava para a cozinha.

Aqueles dias de espera não foram fáceis para ninguém. A enfermeira tentava parecer animada, mas seus olhos estavam perturbados. O médico estava nervoso e impaciente. A senhorita Polly disse pouco; mas nem o cabelo levemente ondulado que emoldurava seu rosto ou as golas de renda que ela vestia em volta do pescoço disfarçavam o fato de que ela estava ficando magra e abatida. Quanto a Poliana... Poliana fazia festa no cachorro, fazia carinho na cabeça do gato, admirava flores e comia as frutas e as geleias que eram mandadas para ela; e escrevia infinitas respostas alegres para as muitas mensagens de amor e preocupação que eram deixadas em seu criado-mudo. Mas ela também estava ficando magra e abatida; e os movimentos nervosos das mãos e dos braços da coitadinha apenas realçavam a penosa imobilidade daqueles pezinhos e perninhas que um dia foram muito ativos, e que agora ficavam estendidos e tristemente quietos sob o cobertor.

Quanto ao jogo... Poliana dizia a Nancy o quão contente ficaria quando pudesse voltar a frequentar a escola, visitar a senhora Snow, atender a um chamado do senhor Pendleton e andar de coche com o doutor Chilton, mas não parecia perceber que todo esse "contentamento" aconteceria apenas no futuro, e não no presente. Nancy, entretanto, já havia se dado conta, e por isso chorava quando estava sozinha.

Capítulo 26

Uma porta entreaberta

Uma semana depois da data em que o doutor Mead, o especialista, a princípio era esperado, ele chegou. Era um homem alto, de ombros largos, gentis olhos cinza e um sorriso alegre. Poliana gostou do médico de saída, e disse isso a ele.

– O senhor se parece muito com o *meu* médico, sabe – acrescentou ela de modo simpático.

– *Seu* médico? – O doutor Mead olhou de soslaio e com evidente surpresa para o doutor Warren, que estava a alguns metros de distância conversando com a enfermeira. O doutor Warren era um homem baixo, de olhos castanhos e com uma barba castanha espetada.

– Ah, *aquele* não é o meu médico – disse sorrindo Poliana, adivinhando o pensamento do doutor Mead. – O doutor Warren é o médico da tia Polly. Meu médico é o doutor Chilton.

– Oh-h! – disse o doutor Mead, de modo um tanto estranho e dirigindo o olhar para a senhorita Polly, que, com o rosto de um vermelho vívido, havia se virado depressa para outro lado.

– Sim. – Poliana hesitou, mas depois prosseguiu com sua costumeira sinceridade. – Sabe, *eu* queria desde o começo me consultar com o doutor Chilton, mas a tia Polly queria que eu me consultasse com o senhor. Ela disse que, de qualquer modo, o senhor entendia mais do que o doutor Chilton sobre… sobre pernas quebradas como as minhas. E é claro que, se o senhor realmente entender mais, eu posso ficar contente por isso. E então, o senhor entende mais?

Uma leve expressão que Poliana não conseguia traduzir se estampou no rosto do médico.

– Só o tempo dirá, menininha – disse ele com gentileza; depois, se virou com um rosto sério para o doutor Warren, que havia acabado de chegar à beira da cama.

Depois, todos disseram que havia sido culpa do gato. Claro, se Fluffy não tivesse insistentemente empurrado com a pata e o focinho a porta destrancada do quarto de Poliana, a porta não teria se aberto sem fazer barulho até ficar uns 30 centímetros entreaberta; e, se a porta não tivesse ficado entreaberta, Poliana não teria ouvido as palavras da tia.

No corredor, os dois médicos, a enfermeira e a senhorita Polly estavam de pé conversando. No quarto de Poliana, Fluffy acabara de pular em cima da cama ronronando um leve "miau" de alegria quando, pela porta entreaberta, ouviu-se em alto e bom som os gritos angustiados da tia Polly.

– Não pode ser! Doutor, não pode ser! O senhor não quer dizer que... a criança... *jamais* voltará a *andar*!

A partir de então, armou-se uma enorme confusão. Primeiro, ouviu-se do quarto Poliana, aterrorizada, chamar "tia Polly, tia Polly!". Depois, a senhorita Polly, vendo a porta entreaberta e se dando conta de que suas palavras haviam sido ouvidas, soltou um leve gemido e, pela primeira vez em sua vida, desmaiou.

A enfermeira, tentando sufocar um grito de "ela ouviu!", cambaleou até a porta entreaberta. Os dois médicos ficaram com a senhorita Polly. O doutor Mead tinha de ficar ali, pois havia sido ele quem agarrara a senhorita Polly à medida que ela caía. O doutor Warren ficou de pé, parado, sem fazer nada. Foi só quando Poliana gritou alto de novo e a enfermeira fechou a porta que os dois homens, trocando olhares desalentados, se deram conta de seu dever imediato de trazer a mulher nos braços do doutor Mead de volta a uma infeliz consciência.

No quarto de Poliana, a enfermeira havia encontrado um gato cinza ronronando na cama e tentando em vão chamar a atenção de uma menininha de rosto lívido e olhos desesperados.

– Senhorita Hunt, por favor, eu quero a tia Polly. Quero que ela venha agora, depressa, por favor!

A enfermeira fechou a porta e se aproximou de Poliana apressadamente. O rosto dela estava muito pálido.

– Ela... não pode vir aqui neste exato minuto, querida. Ela virá... daqui a pouco. O que você quer? Posso pegar para você?

Poliana balançou a cabeça.

– Mas eu quero saber o que foi que ela disse... agorinha mesmo. Você a escutou? Eu quero a tia Polly... ela disse alguma coisa. Quero que ela me diga que não é verdade... não é verdade!

A enfermeira tentou falar, mas palavras não saíram de sua boca. Algo no rosto dela fez os olhos de Poliana se encherem de pânico, ainda por cima.

– Senhorita Hunt, a senhorita a escutou *sim*! É verdade! Oh, não pode ser verdade! Quer dizer então que eu jamais voltarei a andar?

– Calma, calma, querida... não fique assim, não fique assim! – Disse a enfermeira com um nó na garganta. – Talvez ele não saiba ao certo. Talvez ele tenha se enganado. Muitas coisas podem acontecer, sabe?

– Mas a tia Polly disse que ele sabia! Ela disse que ele sabia mais do que qualquer pessoa sobre... sobre pernas quebradas como as minhas!

– Sim, sim, eu sei disso, querida; mas todos os médicos de vez em quando se enganam. Não... não fique mais pensando sobre isso agora... por favor, querida.

Poliana balançou os braços violentamente.

– Mas eu não consigo evitar pensar nisso – disse ela, aos soluços. – É a única coisa em que eu tenho de pensar agora. Ora, senhorita Hunt, como é que eu vou para a escola, ou visitar o senhor Pendleton, ou a senhora Snow, ou... ou qualquer outra pessoa? – Ela recobrou o fôlego e soluçou freneticamente por alguns instantes. De repente, ela parou e olhou para cima, com um novo pavor nos olhos. – Ora, senhorita Hunt, se eu não puder andar, como é que eu vou poder me sentir contente por... *qualquer coisa que seja?*

A senhorita Hunt não sabia do "jogo"; mas sabia que a paciente precisava ser acalmada, e com rapidez. Apesar da própria perturbação e tristeza, suas mãos não ficaram desocupadas, e agora ela estava à beira da cama com o calmante em pó preparado.

– Calma, calma, querida, tome isto – confortou a enfermeira –, e, aos poucos, vamos ficar mais relaxadas, e aí veremos o que pode ser feito. Com frequência, as coisas não são tão ruins quanto parecem, sabe, querida.

De maneira obediente, Poliana tomou o remédio e bebeu um gole d'água do copo que a senhorita Hunt tinha em mãos.

– Eu sei; isso parece com as coisas que papai costumava dizer – gaguejou Poliana enquanto enxugava as lágrimas. – Ele dizia que sempre há algo em qualquer coisa que pode piorar; mas acho que ele nunca deve ter ouvido que jamais voltaria a andar. Não consigo perceber como *pode* haver qualquer coisa relacionada a isso que pode piorar... a senhorita consegue?

A senhorita Hunt não respondeu. Naquele momento, ela achou que não conseguiria dizer nada.

Capítulo 27
Duas visitas

Foi Nancy quem ficou encarregada de avisar ao senhor John Pendleton sobre o diagnóstico do doutor Mead. A senhorita Polly havia se lembrado da promessa de fornecer a ele informações em primeira mão. Ela achou que estava totalmente fora de questão tanto ir ela própria quanto escrever uma carta para ele. Então, ela teve a ideia de mandar Nancy ir até lá.

Houve um tempo em que Nancy ficaria muito satisfeita com essa oportunidade extraordinária de ver uma parte da Casa Misteriosa e de seu dono. Mas hoje seu coração estava partido demais para que ela ficasse satisfeita com qualquer coisa. De fato, ela praticamente nem olhou à sua volta durante os poucos minutos em que esperou que o senhor John Pendleton aparecesse.

– Sou Nancy, senhor – disse ela respeitosamente em resposta à perplexidade e surpresa estampadas nos olhos dele quando ele entrou no cômodo. – A senhorita Harrington me mandou aqui com notícias para o senhor sobre... a senhorita Poliana.

– Então?

Apesar da resposta curta e grossa, Nancy entendeu bem a ansiedade escondida por trás daquele "então?".

– Não são boas notícias, senhor Pendleton – falou ela com um nó na garganta.

– Você não quer dizer… – ele fez uma pausa e ela abaixou a cabeça com tristeza.

– Sim, senhor. Ele disse que... ela não vai poder andar... nunca mais.

Por um momento, fez-se absoluto silêncio no cômodo; depois, com uma voz embargada, o homem falou:

– Pobre… garotinha! Pobre… garotinha!

Nancy olhou de soslaio para ele, mas logo depois voltou a olhar para o chão. Ela não imaginara que o amargo, rabugento e severo John Pendleton pudesse ficar naquele estado. Um instante depois, ele voltou a falar, ainda com aquela voz baixa e embargada.

– Parece cruel demais… jamais poder dançar à luz do sol de novo! Minha menininha dos prismas!

Fez-se silêncio de novo; depois, abruptamente, o homem perguntou:

– Ela mesma ainda não sabe disso, é claro… ou sabe?

– Sabe sim, senhor – soluçou Nancy –, e isso é o que torna tudo mais difícil. Ela descobriu... aquele maldito gato! Peço perdão – desculpou-se ela com pressa. – Acontece que o gato abriu a porta do quarto e a senhorita Poliana escutou a tia e os médicos conversando. Foi assim... que ela descobriu.

– Pobre… garotinha! – exclamou com um suspiro o homem.

– Sim, senhor. O senhor repetiria o que disse se pudesse vê-la – falou Nancy com um nó na garganta. – Eu só a vi duas vezes depois que ela ficou sabendo, e nas duas, fiquei arrasada. Sabe, é tudo muito recente e novo para ela, e ela fica o tempo todo pensando em coisas que ela não pode fazer... *agora*. Ela também fica aflita porque parece não conseguir ficar contente… talvez o senhor não conheça o jogo dela – concluiu Nancy, desculpando-se.

– O "jogo do contente"? – indagou o homem. – Ah, sim, ela me falou do jogo.

– Ah, ela falou? Bem, acho que ela falou do jogo para quase todas as pessoas. Mas, sabe, agora ela… ela não consegue mais jogar o jogo, e isso a aflige. Ela diz que não consegue pensar em nada… nem uma coisa que a deixe contente com relação ao fato de não poder mais andar.

– Ora, e por que deveria? – retrucou o homem quase que de maneira agressiva.

Nancy, incomodada, trocou os pés de lugar.

– Foi assim que eu me senti também… até que eu pensei que… seria mais fácil se ela conseguisse pensar em alguma coisa, sabe? Então, eu tentei… fazê-la lembrar.

– Fazê-la lembrar? O quê? – A voz de John Pendleton ainda tinha um tom de irritação e impaciência.

– De... de como ela ensinou os outros a jogar o jogo, como a senhora Snow, e as outras pessoas, sabe... e o que ela disse que eles deveriam fazer. Mas o pobre cordeirinho só faz chorar, e diz que de algum modo são coisas diferentes. Ela diz que é fácil *dizer* para que inválidos para a vida toda fiquem contentes, mas que não é a mesma coisa quando você mesma é essa inválida e tem de tentar jogar o jogo. Ela falou que já disse para si mesma inúmeras vezes como ela se sente contente pelo fato de outras pessoas não serem como ela; e que, quando está dizendo isso, na verdade ela não está *pensando* em nada, apenas no fato de que ela jamais voltará a andar.

Nancy fez uma pausa, mas o homem não falou nada. Ele ficou sentado com as mãos cobrindo os olhos.

– Depois, tentei lembrá-la de como ela costumava dizer que o jogo era muito melhor de jogar quando... quando era difícil – concluiu Nancy com uma voz abatida. – Mas ela diz que isso também é diferente... quando o jogo é realmente difícil. E agora eu tenho de ir, senhor – concluiu de maneira abrupta.

Na porta, ela hesitou, se virou e perguntou com timidez:

– Senhor, será que eu posso dizer à senhorita Poliana que... que o senhor se encontrou com o Jimmy Bean de novo?

– Não vejo como... pois eu não o vi mais – observou o homem de modo conciso. – Por quê?

– Por nada, senhor, é só que... bem, sabe, essa é uma das coisas que a estão deixando triste, pois agora ela não pode trazê-lo aqui para ver o senhor. Ela disse que o trouxe aqui para ver o senhor uma vez, mas achou que ele não se apresentou muito bem naquele dia, e receava que o senhor não acharia que ele seria uma presença de criança muito boa no fim das contas. Talvez o senhor saiba o que ela quer dizer com isso; eu certamente não sei, senhor.

– Sim, eu sei... o que ela quer dizer.

– Tudo bem, senhor. Eu só comentei isso porque ela estava querendo trazê-lo aqui de volta, segundo ela, para mostrar ao senhor que ele realmente é uma adorável presença de criança. E agora ela… não pode… aquele maldito automóvel! Peço perdão, senhor. Até logo! – E Nancy saiu de lá precipitadamente.

Não tardou para que todo o vilarejo de Beldingsville ficasse sabendo que o grande médico de Nova York havia dito que Poliana Whittier jamais caminharia outra vez; e, de fato, o vilarejo nunca antes tinha ficado em tamanha polvorosa. Agora, todos conheciam de vista a menininha sardenta e travessa que sempre sorria ao cumprimentar os outros; e quase todos conheciam o "jogo" que Poliana estava jogando. Só de pensar que agora aquele rostinho sorridente jamais seria visto pelas ruas… que aquela vozinha alegre jamais proclamaria o contentamento com relação a alguma experiência corriqueira! Isso parecia inacreditável, impossível, cruel.

Em cozinhas e salas de estar, e em cercas de quintais, mulheres falavam disso, e choravam abertamente. Nas esquinas e em salas de espera de lojas, os homens também discutiam o assunto, e choravam… mas não tão abertamente. E nem as conversas ou o choro diminuíram quando, logo depois da notícia do diagnóstico, Nancy veio com a triste história de que Poliana, diante do que lhe havia acontecido, estava lamentando mais do que qualquer outra coisa o fato de que ela já não conseguia jogar o jogo; que agora ela não conseguia ficar contente... por nada.

E foi então que o mesmo pensamento deve, de algum modo, ter ocorrido aos amigos de Poliana. De qualquer modo, a dona do solar dos Harrington, para sua enorme surpresa, começou a receber visitas de várias pessoas, quase todas ao mesmo tempo: pessoas que ela conhecia e pessoas que não conhecia; homens, mulheres e crianças... muitos dos quais a senhorita Polly jamais imaginara que a sobrinha sequer conhecia.

Alguns iam até o solar e se sentavam para conversar com ela por uns bons cinco ou dez minutos. Alguns ficavam de pé de modo desajeitado nos degraus da varanda, mexendo em seus chapéus ou suas bolsas, dependendo do sexo do visitante. Alguns traziam livros, ramalhetes de flores ou alguma guloseima para instigar o apetite. Alguns choravam. Outros se viravam e assoavam o nariz. Mas todos pediam muito ansiosamente notícias da garotinha machucada; e todos mandavam para ela alguma mensagem, e foram essas mensagens que, depois de um tempo, fizeram a senhorita Polly tomar uma atitude.

Primeiro veio o senhor John Pendleton. Ele veio naquele dia sem muletas.

– Não preciso lhe dizer como estou chocado – começou ele quase de maneira áspera. – Mas alguma coisa... pode ser feita?

A senhorita Polly fez um gesto desesperançoso.

– Oh, estamos constantemente "fazendo" alguma coisa, é claro. O doutor Mead receitou certos tratamentos e remédios que talvez possam ajudar, e o doutor Warren está cumprindo tudo à risca, é claro. Mas... o doutor Mead nos desenganou.

John Pendleton se levantou de maneira abrupta, apesar de ter acabado de chegar. Seu rosto estava lívido e seus lábios muito sérios. A senhorita Polly, olhando para ele, entendeu por que ele sentia que não podia estar mais na presença dela. Na porta, ele se virou.

– Tenho uma mensagem para Poliana – disse ele. – A senhorita pode dizer a ela, por favor, que eu me encontrei com o Jimmy Bean, e que daqui em diante ele vai ser meu filho. Diga a ela que eu achei que ela ficaria... *contente* em saber. Eu provavelmente devo adotá-lo.

Por um instante, a senhorita Polly perdeu a compostura de pessoa bem-criada.

– O senhor vai adotar o Jimmy Bean! – arquejou ela.

O homem ergueu o queixo de leve.

– Sim. Acho que Poliana vai entender. A senhora dirá a ela que eu achei que ela ficaria... *contente*?

– Ora, claro... claro que sim – gaguejou a senhorita Polly.

– Obrigado. – John Pendleton fez uma mesura antes de se virar e ir embora.

A senhorita Polly ficou ali de pé, calada e surpresa, ainda olhando para o homem que havia acabado de sair dali. Ela ainda mal conseguia acreditar no que tinha ouvido. John Pendleton vai *adotar* Jimmy Bean? John Pendleton, rico, independente, taciturno, famoso por ser tacanho e extremamente egoísta, vai adotar um garotinho... e logo aquele garotinho?

Com o rosto um tanto aturdido, a senhorita Polly subiu as escadas até o quarto de Poliana.

– Poliana, tenho uma mensagem para você do senhor John Pendleton. Ele acabou de sair daqui. Ele disse para eu lhe contar que ele pegou o Jimmy Bean para ser filho dele. Ele disse que achava que você ficaria contente de saber disso.

O rostinho melancólico de Poliana de súbito se acendeu de alegria.

– Contente? *Contente*? Bem, acho que estou contente sim! Ah, tia Polly, eu queria tanto encontrar um lugar para o Jimmy... e aquele lugar é adorável! Além disso, também fico muito contente pelo senhor Pendleton. Sabe, agora ele vai ter a presença de uma criança.

– A… quê?

Poliana ficou desesperadamente corada. Ela havia se esquecido de que jamais contara à sua tia da vontade do senhor Pendleton de adotá-la, e agora ela com certeza não gostaria de contar para a tia que ela sequer cogitara abandoná-la… a querida tia Polly!

– A presença de uma criança – gaguejou com pressa Poliana. – Certa vez, o senhor Pendleton me disse, sabe, que só o toque e o coração de uma mulher ou a presença de uma criança poderiam formar... um lar. E agora ele conseguiu… a presença de uma criança.

– Ah, eu… entendi – disse muito gentilmente a senhorita Polly; e realmente entendeu… mais do que Poliana pode perceber. Ela entendeu um pouco da pressão que a menina provavelmente enfrentou na época em que John Pendleton estava pedindo a *ela* que fosse a "presença de uma criança", a qual transformaria sua grande pilha de pedras cinza em um lar. – Entendi – concluiu com os olhos ardendo por conta de repentinas lágrimas.

Poliana, com medo de que a tia talvez fosse fazer mais perguntas constrangedoras, rapidamente desviou o assunto da mansão dos Pendleton e de seu dono.

– O doutor Chilton também diz a mesma coisa… que são necessários o toque e o coração de uma mulher, ou a presença de uma criança, para formar um lar, sabe? – comentou ela.

A senhorita Polly se virou, assustada.

– O *doutor Chilton*! Como você sabe... disso?

– Foi ele quem me disse. Ele falou isso quando comentou que vivia em um lugar que era composto apenas por cômodos, sabe, e não era um lar.

A senhorita Polly não respondeu. Seus olhos estavam fixos na vista da janela.

– Então, eu perguntei a ele porque ele não havia arrumado... o toque e o coração de uma mulher, para ter um lar.

– Poliana! – A senhorita Polly havia se virado bruscamente. Suas bochechas ficaram de repente coradas.

– Bem, eu perguntei mesmo. Ele parecia muito... muito triste.

– E o que ele... disse? – A senhorita Polly fez a pergunta como se lutasse contra alguma força interna a ela que lhe dizia para não perguntar.

– Durante um minuto ele não disse nada; depois, ele disse bem baixinho que essas coisas não se consegue apenas pedindo por elas.

Fez-se um breve silêncio. Os olhos da senhorita Polly mais uma vez se fixaram na janela. Suas bochechas ainda estavam estranhamente rosadas.

Poliana suspirou.

– De qualquer modo, ele quer uma mulher, eu sei, e eu gostaria que ele pudesse ter uma.

– Ora, Poliana, *como* você sabe?

– Porque depois, em outro dia, ele disse outra coisa. Ele disse isso baixinho também, mas eu o escutei. Ele disse que daria qualquer coisa no mundo para conquistar o toque e o coração de uma mulher. Ora, tia Polly, qual é o problema? – A tia Polly havia se levantado às pressas e corrido para a janela.

– Nada, querida. Estava só mudando o prisma de posição – disse a tia Polly, cujo rosto agora ardia em brasa.

Capítulo 28

O jogo e seus jogadores

Foi pouco depois da segunda visita de John Pendleton que Milly Snow certa tarde também fez uma visita. Milly Snow jamais havia estado no solar dos Harrington. Ela ficou corada e pareceu muito envergonhada quando a senhorita Polly entrou na sala.

– Eu… eu vim saber notícias da menininha – gaguejou ela.

– A senhorita é muito gentil. Ela está na mesma condição. Como está sua mãe? – respondeu com uma voz cansada a senhorita Polly.

– Foi isso o que eu vim dizer à senhorita… quero dizer, eu vim pedir a senhorita que avise à senhorita Poliana – disse a menina com pressa, sem fôlego e sem coerência. – Achamos que é... muito terrível... completamente terrível o fato de a menininha não poder andar de novo; depois de tudo o que ela fez por nós... pela mamãe, sabe, ensinando-a a jogar o jogo e tudo o mais. E quando ficamos sabendo que agora ela não conseguia mais jogá-lo… pobrezinha! Mas eu não vejo mesmo como ela *poderia* jogar, na condição em que ela está! Mas quando nos lembramos de todas as coisas que ela nos disse, pensamos que, se ela pelo menos ela pudesse ficar sabendo como foi importante o que ela *fez* por nós, que isso *ajudaria*, sabe, no caso dela com relação ao jogo, porque ela poderia ficar contente... quer dizer, um pouco contente. – Impotente, Milly parou de falar, e parecia estar esperando que a senhorita Polly dissesse alguma coisa.

A senhorita Polly se sentara educadamente para escutá-la, mas estampou uma expressão de perplexidade nos olhos. Ela entendera apenas metade do que havia sido dito. Agora estava pensando que sempre soubera que Milly Snow era "esquisita", mas jamais imaginara que fosse louca. No entanto, essa era a única explicação para aquele turbilhão de palavras incoerentes, ilógicas e sem sentido. Quando a pausa se fez, ela a preencheu falando baixo:

– Acho que eu não entendi, Milly. O que é exatamente que você quer que eu diga à minha sobrinha?

– Sim, é isso; o que eu quero que a senhora diga a ela – respondeu de modo frenético a garota. – Faça com que ela perceba o que fez por nós. É claro que ela já *viu* algumas coisas, pois esteve na minha casa, e ela viu como mamãe está diferente; mas eu quero que ela saiba o *quão* diferente mamãe está... e eu também. Eu estou diferente. Tenho tentado jogar o jogo um pouco.

A senhorita Polly franziu as sobrancelhas. Ela teria perguntado o que Milly queria dizer com esse "jogo", mas não houve oportunidade. Milly estava mais uma vez disparando sua nervosa verborragia.

– Sabe, antes, nada estava bom... para mamãe. Ela sempre queria as coisas de um outro jeito. E, na verdade, acho que ninguém seria capaz de culpá-la por conta das circunstâncias em que ela estava. Mas agora ela permite que eu deixe as persianas abertas e se interessa pelas coisas: sua aparência, sua camisola e tudo isso. Ela até começou a tricotar algumas coisas pequenas, como rédeas e cobertores de bebê para feiras e hospitais. E ela está muito interessada, e muito *contente* de pensar que é capaz de fazer essas coisas! E isso foi tudo obra da senhorita Poliana, sabe, porque ela disse para a mamãe que, de qualquer modo, ela poderia ficar contente de ter mãos e braços; e isso fez com que a mamãe imediatamente se perguntasse por que ela não *fazia* alguma coisa com as mãos e os braços. Então, ela começou a fazer alguma coisa... a tricotar, sabe? E a senhorita nem pode imaginar como o quarto dela está diferente agora, com novelos de lã vermelhos, azuis e amarelos e os prismas na janela que a senhorita *Poliana* deu a ela... Agora de fato as pessoas se sentem *melhor* só de entrar lá; antes, eu costumava detestar o quarto dela, pois era muito triste e escuro, e a mamãe era muito... muito infeliz, sabe.

– Então, queremos que a senhorita, por favor, diga à senhorita Poliana que nós entendemos que essas mudanças são todas por causa dela. E por favor diga que estamos tão contentes por conhecê-la que pensamos que, se ela por acaso soubesse disso, poderia ficar um pouco contente por nos conhecer. E... e é isso – suspirou Milly, se levantando apressadamente. – A senhorita pode dizer isso a ela?

– Ora, mas é claro – murmurou a senhorita Polly, que ficou se perguntando o quanto desse discurso notável ela se lembraria para contar para Poliana.

Essas visitas de John Pendleton e Milly Snow foram apenas as primeiras de muitas; e as visitas sempre deixavam mensagens… mensagens que às vezes eram tão estranhas que deixavam a senhorita Polly cada vez mais intrigada com elas.

Um dia veio a viuvinha Benton. A senhorita Polly a conhecia bem, apesar de elas nunca haverem frequentado a casa uma da outra. Tinha a reputação de ser a mulher mais triste do vilarejo: só vestia preto. Naquele dia, no entanto, a senhora Benton usava um laço azul pastel, mas estava com os olhos rasos d'água. Ela falou de seu sofrimento e horror com relação ao acidente; depois, timidamente perguntou se poderia ver Poliana.

A senhorita Polly balançou a cabeça em negativa.

– Sinto muito, mas ela ainda não está recebendo visitas. Quem sabe… em um futuro próximo.

A senhora Benton enxugou os olhos, se levantou e se virou para sair. Mas depois de quase chegar à porta do corredor, voltou apressadamente.

– Senhorita Harrington, talvez possa entregar a ela… uma mensagem – gaguejou a mulher.

– Claro, senhora Benton; ficarei muito contente de fazê-lo.

Ainda assim, a mulher de baixa estatura hesitou; depois, finalmente falou.

– A senhorita poderia, por favor, dizer a ela que… que vesti *isto* – disse enquanto tocava no laço azul em seu pescoço. Depois, diante do olhar mal disfarçado de surpresa da senhorita Polly, acrescentou: – Faz tanto tempo que a garotinha está tentando me fazer vestir roupas mais coloridas que pensei que ela poderia ficar contente de saber que eu comecei a vesti-las. Ela disse que o Freddy ficaria muito contente de me ver usando roupas mais coloridas.

Sabe, o Freddy é tudo o que eu tenho na vida agora. As outras pessoas têm tudo... – A senhora Benton balançou a cabeça e se virou para ir embora. – Se a senhorita disser isso a Poliana... *Ela vai* entender. – E a porta se fechou depois que ela saiu.

Um pouco mais tarde naquele mesmo dia, outra viúva veio fazer uma visita; pelo menos ela estava usando trajes de viúva. A senhorita Polly nunca a tinha visto. Ela ficou imaginando como Poliana poderia ter conhecido essa mulher. A senhora disse que se chamava "senhora Tarbell".

– Não sou conhecida da senhorita, é claro – disse ela de saída. – Mas sou conhecida de sua pequena sobrinha Poliana. Estive hospedada no hotel durante o verão, e todos os dias tive de fazer longas caminhadas por motivos de saúde. Foi durante essas caminhadas que conheci sua sobrinha... ela é uma garotinha adorável! Eu gostaria de poder fazer a senhorita entender o que ela significou para mim. Eu estava muito triste quando vim para cá; e o rosto radiante e os modos alegres dela me lembraram da... minha filhinha, que morreu faz alguns anos. Eu fiquei muito chocada quando soube do acidente; e, depois, quando soube que a pobre criança jamais voltaria a andar, e que ela estava muito infeliz porque não conseguia mais ficar contente... que criança adorável!... eu simplesmente tive de vir visitar a senhorita.

– A senhora é muito gentil – murmurou a senhorita Polly.

– Mas é a senhorita quem deverá ser gentil – objetou a mulher. – Eu... eu gostaria de deixar com a senhorita uma mensagem para ela. Pode entregá-la?

– Com certeza.

– A senhorita poderia então dizer a ela que a senhora Tarbell agora está contente. Sim, eu sei que soa estranho, e que a senhorita não entendeu. Mas... se me perdoa, eu prefiro não explicar. – Os lábios da senhora estamparam uma expressão triste, e o sorriso se esvaiu dos seus olhos. – Sua sobrinha vai entender do que eu estou falando; e eu me senti na obrigação de contar isso... para ela. Obrigada; e por favor me perdoe se minha visita pareceu de algum modo rude – implorou a mulher, que depois foi embora.

Completamente intrigada, a senhorita Polly subiu as escadas até o quarto de Poliana.

– Poliana, você conhece uma senhora Tarbell?

– Ah, sim. Eu adoro a senhora Tarbell. Ela está doente, e terrivelmente triste; está hospedada no hotel e faz longas caminhadas. Nós caminhamos juntas. Quero dizer... costumávamos caminhar. – Poliana ficou com a voz embargada, e duas gordas lágrimas rolaram por suas bochechas.

A senhorita Polly pigarreou.

– Bem, ela acabou de sair daqui, querida. Ela deixou uma mensagem para você... mas não quis me dizer o que ela significava. Ela pediu para eu lhe dizer que a senhora Tarbell agora estava contente.

Poliana juntou as mãos com delicadeza.

– Ela disse isso... de verdade? Ah, fico muito contente!

– Mas, Poliana, o que ela quis dizer com isso?

– Ora, é o jogo, e... – Poliana se deteve, colocando os dedos nos lábios.

– Que jogo?

– N-não é nada de mais, tia Polly; eu não posso contar sobre o jogo sem falar de outras coisas... de que eu não devo falar.

A senhorita Polly estava prestes a interrogar a sobrinha mais a fundo, mas a angústia patente no rosto da garotinha fez as palavras se esvaírem antes que pudessem ser pronunciadas.

Pouco depois da visita da senhora Tarbell, veio o clímax. Ele veio na forma da visita de certa jovem com bochechas artificialmente rosadas e um cabelo anormalmente amarelo; uma jovem que usava saltos altos e bijuterias baratas; uma jovem que a senhorita Polly conhecia muito bem por sua reputação, mas que ela ficou surpresa e irritada de encontrar sob o teto do solar dos Harrington.

A senhorita Polly não estendeu a mão para a jovem. Na verdade, ela deu um passo para trás quando entrou na sala.

A mulher se levantou imediatamente. Seus olhos estavam muito vermelhos, como se houvesse chorado. Em uma atitude um tanto transgressora, ela perguntou se podia, apenas por um instante, ver a garotinha Poliana.

A senhorita Polly disse que não. Ela começou a recusar com severidade; mas algo nos olhos suplicantes da mulher fez com que acrescentasse a explicação cortês de que ninguém ainda tinha permissão de ver Poliana.

A mulher hesitou; depois, falou um tanto bruscamente. Seu queixo ainda estava erguido, em uma posição desafiadora.

– Meu nome é senhora Payson... senhora Tom Payson. Eu suponho que a senhorita já tenha ouvido falar de mim – a maioria das pessoas boas deste vilarejo já ouviu falar –, e talvez algumas das coisas que a senhorita ouviu não sejam verdadeiras. Mas deixemos isso para lá. Vim aqui por conta da garotinha. Soube do acidente, e… a notícia me deixou arrasada. Na semana passada eu soube que ela jamais voltaria a andar e… e eu desejei poder trocar as minhas pernas inutilmente saudáveis com as dela. Em uma hora de caminhada com minhas pernas, ela seria capaz de praticar o bem mais do que eu conseguiria em cem anos. Mas deixemos isso para lá. As pernas nem sempre são concedidas àquele que vai dar melhor utilidade a elas, agora eu percebo.

Ela fez uma pausa e pigarreou; mas quando voltou a falar, sua voz ainda estava rouca.

– Talvez a senhorita não saiba, mas encontrei sua garotinha várias vezes. Moramos na estrada da colina Pendleton, e ela costumava passar em frente à nossa casa com muita frequência... só que nem sempre ela apenas *passava*. Ela às vezes entrava, brincava com as crianças e conversava comigo… e com o meu marido, quando ele estava em casa. Ela parecia gostar daquilo e gostar de nós. Eu suspeito que ela não soubesse que pessoas da classe dela, em geral, não se misturam com as da minha. Se eles se *misturassem* mais, senhorita Harrington, talvez não haveria tantas… pessoas da minha classe – acrescentou ela com uma amargura súbita.

– De qualquer maneira, ela nos visitava; isso não causou nenhum mal a ela, e nos fez bem... nos fez um bem danado. Ela não sabe quanto bem nos fez… ou não pode saber, eu espero; porque, se soubesse, saberia de outras coisas... de que eu não quero que ela saiba.

– Mas é apenas isso. Este ano foi muito difícil para nós, e de muitas maneiras diferentes. Andávamos deprimidos e desestimulados… meu marido e eu e estávamos prontos para tudo. Estávamos pensando em nos divorciar por agora e abandonar as crianças, quero dizer, nós não sabíamos o que fazer com as crianças. Depois, aconteceu o acidente, e ficamos sabendo que a garotinha jamais voltaria a andar. E ficamos lembrando como ela costumava vir aqui, sentar na soleira da porta, brincar com as crianças, sorrir e... e apenas ficar contente. Ela sempre ficava contente com alguma coisa; então, certo dia, ela nos explicou o motivo, e nos falou do jogo, sabe; e tentou convencer-nos a jogá-lo.

– Bem, soubemos que agora ela está se sentindo muito arrasada porque não consegue mais jogar, pois não encontra nada que a deixe contente. E foi isso o que eu vim dizer a ela hoje: que talvez ela possa ficar um pouco contente por nós, pois decidimos continuar casados e começar a jogar. Eu sabia que ela ficaria contente, porque costumava se sentir meio mal... com algumas coisas que nós às vezes dizíamos. Não posso dizer que sei exatamente como o jogo vai nos ajudar; mas talvez ajude. De todo o modo, nós vamos tentar... porque ela queria que nós fizéssemos isso. A senhorita pode dizer a ela?

– Sim, vou dizer – prometeu um tanto vagamente a senhorita Polly. Depois, em um impulso súbito, deu um passo à frente e estendeu a mão. – E obrigada por ter vindo, senhora Payson – disse.

O queixo desafiador desabou. Os lábios acima dele estavam visivelmente trêmulos. Balbuciando algo incompreensível, a senhora Payson apertou às cegas a mão estendida, se virou e saiu correndo.

A porta mal havia se fechado depois que ela saíra e a senhorita Polly já estava na cozinha confrontando Nancy.

– Nancy!

A senhorita Polly falou com aspereza. A série de visitas intrigantes e desconcertantes dos últimos dias, que culminou com a extraordinária experiência daquela tarde, a havia enervado a um ponto em que ela ia explodir. Desde o acidente de Poliana que Nancy não ouvia a patroa falar com tanta severidade.

– Nancy, você *pode* me contar que "jogo" absurdo é esse de que o vilarejo todo não para de falar? Diga-me também, por favor, o que minha sobrinha tem a ver com isso? *Por que* todos, de Milly Snow à senhora Tom Payson, mandam recados para Poliana dizendo que eles estão "jogando o jogo"? Pelo que pude perceber, metade do vilarejo está vestindo laços azuis, ou dando um fim às brigas familiares, ou aprendendo a gostar de alguma coisa de que nunca haviam gostado antes, e tudo por causa de Poliana. Eu tentei perguntar a ela sobre isso, mas não consegui avançar muito, e é claro que eu não quero afligi-la... agora. Mas por conta de uma coisa que eu ouvi ela dizer para você ontem à noite, eu posso presumir que você também é uma das jogadoras. Então, *pode* me contar o que significa tudo isso?

Para a surpresa e desalento da senhorita Polly, Nancy desatou a chorar.

– Significa que desde junho essa bendita criança tem deixado a cidade toda contente, e agora eles estão vindo aqui para tentar deixá-la um pouco contente também.

– Contente por quê?

– Apenas contente. Esse é o jogo.

A senhorita Polly surpreendentemente bateu um pé no chão.

– Lá vem você com essa história Nancy, assim como os outros. Que jogo?

Nancy ergueu o queixo. Ela ficou cara a cara com a patroa e olhou bem nos olhos dela.

– Vou lhe contar, senhorita. Trata-se de um jogo que o pai da senhorita Poliana ensinou-a a jogar. Certa vez ela ganhou um par de muletas em um dos pacotes de doações, mas na verdade ela queria uma boneca; e ela chorou, é claro, como faria qualquer criança. Parece que foi então que o pai disse a ela que sempre havia algo em qualquer coisa que poderia deixar alguém contente; e que ela podia ficar contente com as muletas.

– Contente com... *muletas*! – A senhorita Polly abafou um soluço, pois ela estava pensando nas perninhas indefesas sob a cama no andar de cima.

– Sim, senhorita. Foi isso o que eu disse, e a senhorita Poliana falou que foi isso o que ela disse também. Mas ele falou que ela *poderia* ficar contente... por *não precisar das muletas.*

– Ah-h! – exclamou a senhorita Polly.

– Depois, ela contou que passou a transformar isso em um jogo: encontrar algo para ficar contente com relação a qualquer coisa. E falou que era possível fazer isso, porque não se importava tanto com o fato de não ter uma boneca, pois estava muito contente por *não* precisar das muletas. E eles chamaram isso de "jogo do contente". Esse é o jogo, senhorita. Ela o vem jogando desde então.

– Mas, como... como... – Impotente, a senhorita Polly fez uma pausa.

– E a senhorita ficaria surpresa de descobrir como o jogo funciona bem – asseverou Nancy quase com o mesmo entusiasmo da própria Poliana. – Eu queria poder dizer para a senhorita o quanto ela fez pela minha mãe e pelas outras pessoas lá de casa. Sabe, ela já foi visitá-los duas vezes comigo. Também me fez ficar contente com relação a várias coisas, grandes e pequenas; e isso tornou minha vida muito mais fácil. Por exemplo, eu já não me importo tanto com o nome "Nancy" desde que ela me contou que eu poderia ficar contente por ele não ser "Hiphzibah". Tem também as manhãs de segunda-feira, que eu costumava detestar. Ela de fato me fez ficar contente com as manhãs de segunda.

– Contente... com manhãs de segunda-feira!

Nancy riu.

– Eu sei que parece maluquice, senhorita. Mas deixe-me lhe contar. Aquele bendito cordeirinho descobriu que eu detestava as manhãs de segunda, achava-as horríveis; e certo dia ela veio e me disse nada mais, nada menos do que isto: "Bem, de todo o modo, Nancy, acho que você poderia ficar mais contente nas manhãs de segunda do que em qualquer outro dia da semana, pois nesta manhã ainda vai faltar uma *semana* para chegar outra manhã de segunda-feira!" E quero que um raio me parta se não for verdade que desde então eu tenho pensado nisso toda segunda-feira de manhã... e isso me *ajudou* muito, senhorita. De todo o modo, eu ria toda vez que pensava nisso; e rir ajuda, sabe... ajuda sim, ajuda sim!

– Mas por que ela não... me contou... sobre o jogo? – gaguejou a senhorita Polly. – Por que ela fez tanto mistério quando eu perguntei para ela?

Nancy hesitou.

– Perdoe-me, senhorita, mas a senhorita disse a ela que não falasse do... pai; então, ela não podia lhe contar. O jogo foi invenção do pai, sabe.

A senhorita Polly mordeu o lábio.

– Ela quis lhe contar logo de saída – prosseguiu Nancy com pouca firmeza na voz. – Queria alguém para jogar com ela, sabe. Foi por isso que eu comecei a jogar o jogo, para que tivesse alguém com quem jogar.

– E... e... quanto aos outros? – A voz da senhorita Polly agora estava embargada.

– Ah, acho que quase todo mundo já sabe do jogo. Pelo que eu andei ouvindo por aí em todos os lugares, acho que eles sabem sim. É claro que ela contou para várias pessoas, e essas pessoas contaram para outras. Sabe, é assim que essas coisas se espalham. E ela sempre foi tão sorridente e agradável com todo mundo, e tão... tão contente o tempo todo que eles não tinham como não ficar sabendo. Agora, desde que ela se acidentou, todos estão se sentindo muito mal... principalmente quando souberam como *ela* se sente mal por não conseguir encontrar nada que a deixe contente. Então, eles têm vindo aqui todos os dias para dizer a ela o quão *contente* ela os deixou, na esperança de que isso ajude de alguma forma. Sabe, ela sempre queria que todos jogassem o jogo com ela.

– Bem, eu conheço alguém que vai jogar esse jogo... a partir de agora – disse com a voz embargada a senhorita Polly, enquanto se virava e saía às pressas pela porta da cozinha.

Atrás dela, Nancy ficou estupefata.

– Bem, agora eu acredito em qualquer coisa... qualquer coisa – murmurou ela para si mesma. – É impossível que eu não acredite em qualquer coisa que me digam agora... ah, senhorita Polly!

Um pouco mais tarde, no quarto de Poliana, a enfermeira deixou a menina e a senhorita Polly a sós.

– E você recebeu mais uma visita hoje, querida – anunciou a senhorita Polly, tentado em vão falar com a voz firme. – Você se lembra da senhora Payson?

– A senhora Payson? Ora, lembro sim! Ela mora no caminho da casa do senhor Pendleton, e ela tem uma filhinha linda de 3 anos, e um menino que tem quase 5. Ela é muito simpática, assim como o marido dela... só que eles não se dão conta de como são simpáticos. Às vezes, eles brigam... quero dizer, discordam. Eles também são pobres, é o que eles dizem, e é claro que eles não recebem pacotes de doações, pois ele não é um pastor missionário, sabe, como.... bem, ele não é.

Um leve rubor cobriu as bochechas de Poliana, e foi de repente duplicado nas bochechas de sua tia.

– Mas ela usa roupas realmente bonitas, às vezes, apesar de ser muito pobre – prosseguiu um tanto apressadamente Poliana. – E ela tem anéis lindos, com diamantes, rubis e esmeraldas encrustadas; mas ela diz que tem um anel sobrando, e que vai jogá-lo fora e pedir o divórcio. O que é um divórcio, tia Polly? Receio que não seja algo bom, porque ela não parecia feliz quando falava disso. E ela disse que se eles se divorciassem, não morariam mais naquela casa, e que o senhor Payson iria embora para longe, e as crianças também, talvez. Mas eu acho que eles deveriam ficar com o anel, mesmo que ele esteja sobrando. A senhora não acha? Tia Polly, o que é um divórcio?

– Acontece que eles não vão embora para longe, querida – mudou de assunto apressadamente a tia Polly. – Eles vão ficar por aqui mesmo, e juntos.

– Ah, fico muito contente! Então, eles ainda vão estar morando lá quando eu for visitar... Ai, meu Deus! – se interrompeu com tristeza a menininha. – Tia Polly, por que eu *não consigo* me lembrar de que minhas pernas já não andam, e de que nunca, nunca mais eu vou visitar o senhor Pendleton?

– Calma, calma, não fique assim – disse a tia com a voz embargada. – Quem sabe um dia você não vai para lá de coche? Mas preste atenção! Eu ainda não lhe falei tudo o que a senhora Payson disse. Ela queria que eu lhe contasse que eles... eles iriam continuar casados e começar a jogar o jogo, assim como você queria que eles fizessem.

Poliana sorriu com os olhos rasos d'água.

– É sério? De verdade? Ah, fico muito contente com isso!

– Sim, ela disse que esperava que você ficasse contente. Foi por isso que ela queria lhe contar isso, para deixá-la... *contente*, Poliana.

Poliana olhou para cima rapidamente.

– Ora, tia Polly, a senhora… a senhora falou como se soubesse… a senhora *sabe* do jogo, tia Polly?

– Sim, querida. – A senhorita Polly forçou a voz a soar alegre. – A Nancy me contou. Acho que é um jogo lindo. Eu vou passar a jogá-lo agora… com você.

– Oh, tia Polly... A *senhora*? Fico muito contente! Sabe, eu sempre quis que a senhora, mais do que qualquer outra pessoa, jogasse esse jogo.

A tia Polly recuperou o fôlego abruptamente. Dessa vez foi ainda mais difícil manter a voz firme; mas ela conseguiu.

– Sim, querida; e também há todos aqueles outros jogadores. Ora, Poliana, eu acho que todo o vilarejo está jogando com você agora... até o pastor! Eu ainda não tive a oportunidade de lhe contar, mas hoje de manhã eu encontrei o senhor Ford quando desci até o vilarejo, e ele me disse para lhe contar que, assim que você pudesse vê-lo, ele viria lhe contar que não parou de ficar contente com aquelas oitocentas escrituras de júbilo de que você falou para ele. Então, você está vendo, querida? Isso é tudo obra sua. Todo o vilarejo está jogando o jogo, e todo o vilarejo está muito mais feliz… e tudo por conta de uma garotinha que ensinou às pessoas um novo jogo, e como jogá-lo.

Poliana bateu palmas.

– Ah, fico muito contente – exclamou ela. Depois, subitamente, uma luz maravilhosa iluminou seu rosto. – Ora, tia Polly, no fim das contas *há* algo pelo qual eu posso ficar contente. Eu posso ficar contente por ter *tido* pernas… se não, eu não teria podido fazer... isso!

Capítulo 29
Por uma janela aberta

Um por um, os curtos dias de inverno começaram e terminaram, mas eles não foram curtos para Poliana. Eles foram longos, e às vezes repletos de dor. No entanto, com muita determinação, Poliana tentava se alegrar perante tudo o que acontecia. E não estava Poliana ainda mais obrigada a jogar o jogo, agora que sua tia o estava jogando também? E a tia Polly encontrava muitas coisas para ficar contente! Foi também a tia Polly quem descobriu certo dia a história sobre duas pobres crianças abandonadas em uma nevasca que encontraram uma porta arrancada pelo vento e se arrastaram para debaixo dela, e que ficaram se perguntando como faziam os pobres coitados que não tinham uma porta para se abrigar! E foi tia Polly quem chegou em casa com outra história que ela ouviu, sobre uma pobre velhinha que tinha apenas dois dentes, mas que estava muito contente porque esses dentes se encontravam, sendo um em cima e o outro embaixo!

Assim como a senhora Snow, Poliana agora estava tricotando lindas coisas de novelos de lã coloridos que estendiam suas cores alegres pela colcha branca da cama, e isso deixava Poliana, mais uma vez assim como a senhora Snow, muito contente por ter braços e mãos, ao menos.

Poliana agora recebia visitas ocasionalmente, e sempre havia as mensagens amorosas daqueles que ela não conseguia encontrar; e essas mensagens e visitas sempre traziam algum assunto novo para Poliana pensar... E Poliana precisava de coisas novas em que pensar.

Ela havia recebido uma visita de John Pendleton, e duas de Jimmy Bean. John Pendleton lhe havia dito como Jimmy estava se revelando um bom garoto, e como ele estava indo bem. Jimmy lhe havia dito que a casa dele era de primeira classe, e que o senhor Pendleton era "pais" excelentes; e ambos lhe haviam dito que tudo isso era obra dela.

– O que me deixa mais contente ainda, sabe, que eu um dia *tenha* tido pernas – confidenciou Poliana à sua tia depois.

O inverno passou, e chegou a primavera. Os ansiosos cuidadores de Poliana não viam grandes mudanças em seu estado com o tratamento receitado. De fato havia motivos para se acreditar que o pior medo do doutor Mead se realizaria: Poliana jamais voltaria a andar.

O vilarejo de Beldingsville, é claro, mantinha-se informado com relação a Poliana; e, de todo Beldingsville, um homem em particular se irritava e se inquietava em ansiedade febril a cada um dos informes diários que ele de algum modo conseguia obter do leito da convalescente. À medida que os dias se passavam, entretanto, e as notícias não só não melhoraram, como tornaram-se piores, algo além de ansiedade começou a se estampar no semblante do homem: desespero e uma determinação obstinada, ambos os sentimentos lutando para ver qual ficaria no comando. No fim das contas, a determinação obstinada venceu o páreo; e foi então que o senhor John Pendleton, um tanto para o próprio espanto, recebeu certo sábado de manhã uma visita do doutor Thomas Chilton.

– Pendleton – começou o médico de repente –, eu venho procurá-lo pois você, melhor do que qualquer outra pessoa no vilarejo, sabe um pouco de minha relação com a senhorita Polly Harrington.

John Pendleton estava ciente de que deve ter ficado visivelmente surpreso: ele de fato sabia algo sobre o romance entre Polly Harrington e Thomas Chilton, mas fazia quinze anos ou mais que o assunto não era discutido por eles.

– Sim – disse ele, tentando imbuir em sua voz uma preocupação suficiente para manifestar solidariedade, e não ansiosa o bastante para manifestar curiosidade. Em um instante, ele viu que, no entanto, não precisava ter se preocupado: o médico estava decidido demais a falar para perceber como a sua fala era recebida.

– Pendleton, eu preciso ver aquela criança. Quero examiná-la. Eu *preciso* examiná-la.

– Ué... e você não pode?

– Se eu *não posso*? Pendleton, você sabe muito bem que eu não cruzo aquela porta faz mais de quinze anos. Você não sabe – mas eu vou lhe contar – que a dona daquela casa me disse que da *próxima* vez que ela me *pedisse* para entrar, eu talvez achasse que ela estava pedindo meu perdão, e que tudo voltaria a ser como antes... o que significa que ela se casaria comigo. Talvez você até possa imaginar que ela vai me convidar algum dia.... mas eu não!

– Mas você não pode ir... sem convite?

O médico franziu as sobrancelhas.

– Ora, acho muito difícil. *Eu* ainda tenho algum orgulho, sabe?

– Mas se você está tão ansioso assim... não poderia esquecer o orgulho e a briga de vocês...

– Esquecer a briga! – interrompeu o médico, furioso. – Não estou falando desse tipo de orgulho. Com relação a isso, eu iria daqui até lá de joelhos, ou até de ponta-cabeça, se isso servisse de alguma coisa. Estou falando de orgulho *profissional*. Trata-se de um caso de doença, e eu sou médico. Eu não posso apenas me intrometer e dizer: "Oi, me contratem!", não é?

– Chilton, sobre o que foi a briga? – indagou Pendleton.

O médico fez um gesto de impaciência e se levantou.

– Sobre o quê? E sobre o que mais são as brigas de namorados – bufou ele enquanto andava furiosamente de um lado para o outro do cômodo. – Uma discussão boba sobre o tamanho da lua ou a profundidade de um rio, talvez... qualquer coisa sem significado se comparada aos anos de sofrimento que se seguiram! Deixe a briga para lá! No que me diz respeito, estou disposto a dizer que não houve briga nenhuma. Pendleton, eu preciso ver aquela criança. Pode ser uma questão de vida ou morte. Eu acredito com sinceridade que minha visita tem nove entre dez chances de fazer Poliana Whittier voltar a andar!

As palavras foram ditas com clareza, de modo impressionante; e elas foram ditas bem no momento em que quem as dizia quase chegara à janela aberta perto da cadeira de John Pendleton. Portanto, calhou de as palavras chegarem claramente aos ouvidos do garotinho que estava de joelhos sob a janela no terreno do lado de fora.

Jimmy Bean, fazendo sua tarefa matinal de sábado de capinar ervas daninhas nos canteiros de flores, sentou-se com os ouvidos e olhos bem abertos.

– Andar! Poliana! – dizia John Pendleton. – O que você quer dizer?

– Estou dizendo que, pelo que escuto e fico sabendo – a mais de um quilômetro da beira da cama dela –, o caso dela se parece muito com o que um colega meu de faculdade acabou de auxiliar. Durante anos ele fez desse tipo de coisa um estudo especial. Mantive contato com ele e, de certo modo, estudei isso também. E, pelo que eu soube… mas eu quero *ver* a garota!

John Pendleton se empertigou em sua cadeira.

– Você precisa vê-la, então! Você não pode mesmo… nem que seja através do doutor Warren?

O médico balançou a cabeça em negativa.

– Receio que não. Mas o Warren até que tem sido cortês. Ele próprio me disse que a princípio sugeriu que a menina se consultasse comigo, mas... a senhorita Harrington recusou com tanta determinação que ele não ousou fazer a sugestão de novo, apesar de saber de meu desejo de ver a menina. Ultimamente, alguns dos melhores pacientes dele têm vindo se consultar comigo… é é claro que isso me deixa ainda mais de mãos atadas. Mas, Pendleton, eu preciso ver aquela criança! Pense só no que isso pode significar para ela… se eu puder examiná-la!

– Sim, e pense no que vai significar para ela… se você não examiná-la! – retrucou Pendleton.

– Mas como eu posso examiná-la… sem um pedido direto da tia dela... que eu nunca vou receber?

– Temos de dar um jeito de ela lhe pedir!

– Como?

– Não sei.

– Não acho que você possa saber, mesmo... nem você, nem ninguém. Ela é orgulhosa demais, e está com raiva demais para me chamar… depois do que ela disse, faz anos, que significaria se ela me chamasse. Mas quando eu penso naquela criança, fadada a sofrer pelo resto da vida, e quando eu penso que talvez tenha em mãos uma possível escapatória, mas que por essa coisa sem sentido que chamamos orgulho e etiqueta profissional, eu… – Ele não terminou a frase, mas, com as mãos enfiadas fundo nos bolsos, se virou e voltou a pisotear com fúria o chão do cômodo de um lado para o outro.

– Mas e se conseguíssemos fazer com que ela visse… e entendesse – exortou John Pendleton.

– Sim; e quem vai fazer isso? – indagou o médico enquanto se virava violentamente.

– Eu não sei, eu não sei – grunhiu com tristeza o outro.

Do lado de fora da janela, Jimmy Bean ficou agitado de súbito. Até agora ele mal havia respirado, de tão atento que estava a cada palavra ouvida.

– Ora, eu sei quem vai! – sussurrou ele, exultante. – *Eu* vou fazer isso! – Imediatamente, ele se levantou, se esgueirou furtivamente por uma das esquinas da casa, e desceu correndo o mais rápido que pôde a colina Pendleton.

Capítulo 30

Jimmy toma as rédeas

– É o Jimmy Bean. Ele quer ver a senhorita – anunciou Nancy na porta.

– A mim? – respondeu surpresa a senhorita Polly. – Você tem certeza de que ele não quer ver a senhorita Poliana? Ele pode vê-la por alguns minutos hoje, se quiser.

– Sim, senhorita. Eu disse isso a ele. Mas ele disse que quer ver a senhorita.

– Muito bem, vou descer. – E a senhorita Polly se levantou de sua cadeira um pouco cansada.

Na sala de estar, encontrou esperando por ela um menino com os olhos arregalados e o rosto corado, que começou a falar imediatamente.

– Senhora, receio que seja muito feio... o que estou fazendo e o que estou dizendo; mas eu não posso evitar. É por Poliana, e eu seria capaz de andar sobre brasas por ela, ou enfrentar a senhora, ou... ou qualquer coisa desse tipo, a qualquer momento. E eu acho que a senhora iria também, se pensasse que existe uma chance de ela voltar a andar. E, portanto, eu vim aqui dizer à senhora que, se é apenas orgulho... e alguma coisa que está impedindo Poliana de andar, ora, eu sei que a senhora *chamaria* o doutor Chilton para vir aqui se a senhora entendesse...

– O q-quê? – interrompeu a senhorita Polly, a expressão de estupefação no seu rosto se transformando em indignação irritada.

Jimmy suspirou desconsoladamente.

– Viu só, eu não queria deixar a senhora zangada. É por isso que comecei falando que ela poderia voltar a andar. Achei que a senhora daria ouvidos a isso.

– Jimmy, do que você está falando?

Jimmy suspirou de novo.

– É isso o que eu estou tentando contar para a senhora.

– Ora, então conte-me. Mas comece do começo, e certifique-se de que eu entendi cada coisa à medida que você prossegue. Não pule para o meio da história e confunda tudo, como você fez antes!

Jimmy umedeceu os lábios com determinação.

– Bem, para começar, o doutor Chilton foi visitar o senhor Pendleton, e eles conversaram na biblioteca. A senhora entendeu essa parte?

– Sim, Jimmy. – A voz da senhorita Polly soava fraca.

– Bem, a janela estava aberta, e eu estava capinando o canteiro de flores embaixo dela; e escutei a conversa deles.

– Oh, Jimmy! *Escutando a conversa dos outros?*

– Não era sobre mim, e eu não estava ouvindo de propósito – embridou-se Jimmy. – E fico contente de ter ouvido. A senhora também vai ficar depois que eu lhe contar. Ora, isso pode fazer a Poliana... andar!

– Jimmy, o que você quer dizer? – A senhorita Polly se inclinava ansiosamente na direção dele.

– Pronto, eu disse para a senhora – Jimmy balançou a cabeça com satisfação. – Bem, o doutor Chilton conhece um médico em algum lugar que ele acha que pode curar Poliana... fazê-la voltar a andar, sabe; mas ele não sabe dizer com certeza se não *examiná-la*. E ele quer muito vê-la, mas ele disse ao senhor Pendleton que a senhora não ia deixar.

O rosto da senhorita Polly ficou muito corado.

– Mas, Jimmy, eu... eu não posso... eu não conseguiria! Quero dizer, eu não sabia! – a senhorita Polly, impotente, retorcia os dedos.

– Sim, e foi isso o que eu vim dizer para a senhora, para que a senhora *soubesse* – afirmou ansiosamente Jimmy. – Eles disseram que por algum motivo – que eu não entendi muito bem –, a senhora não deixaria o doutor Chilton vir, e que disse isso ao doutor Warren; e o doutor Chilton não poderia vir até aqui sem um convite da senhora, por conta de orgulho e de... bem, alguma coisa profissional. E eles queriam que alguém fizesse com que a senhora entendesse, mas não sabiam quem poderia; e eu estava do lado de fora da janela, e disse a mim mesmo imediatamente: "Minha nossa, eu vou!" E eu vim e... consegui fazer a senhora entender?

– Sim; mas, Jimmy, quanto àquele médico – implorou febrilmente a senhorita Polly. – Quem é ele? O que ele fez? Eles têm *certeza* de que ele poderia fazer Poliana voltar a andar?

– Eu não sei quem ele é. Eles não falaram. O doutor Chilton o conhece, e ele acabou de curar um caso igual ao dela, o doutor Chilton acha. De qualquer modo, eles não pareciam preocupados com *ele*. Era com a *senhora* que eles estavam preocupados, porque a senhora não ia deixar que o doutor Chilton a examine. Diga-me: a senhora vai deixá-lo vir, não vai, agora que compreende?

A senhorita Polly virava a cabeça de um lado para o outro. Sua respiração era irregular, em rápidos arquejos. Jimmy, observando-a com olhos ansiosos, pensou que ela ia chorar. Mas ela não chorou. Após um instante, ela disse com a voz embargada:

– Sim… eu vou deixar... o doutor Chilton… examiná-la. Agora, corra para casa, Jimmy... rápido! Tenho de falar com o doutor Warren. Ele está agora no andar de cima. Eu o vi chegar aqui faz alguns minutos.

Alguns instantes depois, o doutor Warren ficou surpreso ao encontrar uma senhorita Polly agitada e de rosto corado no corredor. Ele ficou ainda mais surpreso de ouvir a mulher dizer, um tanto sem fôlego:

– Dr. Warren, o senhor certa vez me pediu que eu permitisse que o doutor Chilton fosse chamado para uma consulta… e eu recusei. Desde então, mudei de ideia. Quero muito que o senhor *chame* o doutor Chilton. O senhor pode chamá-lo imediatamente... por favor? Obrigada.

Capítulo 31

Um novo tio

Na vez seguinte em que o doutor Warren entrou no quarto em que Poliana estava deitada olhando o brilho bruxuleante de cor no teto, um homem alto e de ombros largos o seguia de perto.

– Dr. Chilton!... oh, doutor Chilton, que contente estou de vê-lo! – exclamou Poliana. Com a alegria extasiada na voz dela, mais de um par de olhos no quarto ficou de repente marejado. – Mas, é claro, se a tia Polly não quiser...

– Está tudo bem, querida; não se preocupe – assegurou a senhorita Polly, agitadamente e prosseguindo às pressas. – Eu disse ao doutor Chilton que… que eu quero que ele lhe examine… junto com o doutor Warren, esta manhã.

– Ah, então a senhora pediu que ele viesse – murmurou satisfeita Poliana.

– Sim, querida, eu pedi a ele. Quero dizer… – Mas já era tarde demais. A devota felicidade que brilhou nos olhos do doutor Chilton era inconfundível, e a senhorita Polly a percebera. Com bochechas muito rosadas, ela se virou e saiu do quarto às pressas.

Na janela, a enfermeira e o doutor Warren conversavam de maneira animada. Dr. Chilton estendeu as duas mãos para Poliana.

– Garotinha, acho que uma das suas obras mais contentes foi realizada hoje – disse ele com a voz embargada de emoção.

No crepúsculo, uma maravilhosamente trêmula e diferente tia Polly se esgueirou até a beira da cama de Poliana. A enfermeira estava jantando. Elas estavam a sós no quarto.

– Poliana, querida, vou contar para você… antes de contar para qualquer outra pessoa. Algum dia eu vou dar a você o doutor Chilton como um novo… tio. E foi tudo obra sua. Oh, Poliana, estou tão feliz! E tão contente!... Minha querida!

Poliana começou a bater palmas; mas depois de bater a primeira palma com suas mãozinhas, ela se deteve, e manteve as mãos erguidas.

– Tia Polly, tia Polly, por acaso *era* a senhora a mulher cuja mão e o coração ele queria fazia muito tempo? Era a senhora... eu sei que era! E foi isso o que ele quis dizer quando falou que eu fiz a minha obra mais contente de todas... hoje. Estou muito contente! Ora, tia Polly, eu não sei, mas estou tão contente que nem me importo… nem com as minhas pernas agora!

Tia Polly reprimiu um soluço.

– Talvez, algum dia, querida… – mas a tia Polly não terminou. Ela não ousara falar ainda da enorme esperança que o doutor Chilton havia depositado em seu coração. Mas disse – e certamente foi maravilhoso o suficiente – para Poliana:

– Poliana, semana que vem você vai fazer uma viagem. Em uma caminha bem confortável, você vai ser levada em coches e carruagens para se consultar com um grande médico que tem uma casa enorme a vários quilômetros daqui, feita especialmente para pessoas na mesma situação que você. Ele é um querido amigo do doutor Chilton, e vamos ver o que ele pode fazer por você!

Capítulo 32

Que é uma carta de Poliana

Caros tia Polly e tio Tom: Oh, eu posso… eu posso... Eu posso andar! Andei hoje, da minha cama até a janela! Foram seis passos. Meu Deus, como foi bom ficar de pé de novo!

Todos os médicos ficaram à minha volta e sorriram, e todas as enfermeiras ficaram ao lado deles e choraram. Uma senhora na ala ao lado, que andou pela primeira vez na semana passada, espiou pela porta, e outra, que espera poder voltar a andar no mês que vem, foi convidada para a comemoração, e ela se deitou na cama da minha enfermeira e bateu palmas. Até a dona Tilly, que faz a limpeza, me olhou pela janela que dá para a praça e me chamou de: "Docinho de criança", quando não estava chorando demais para dizer qualquer coisa.

Não entendo porque eles choraram. Eu queria cantar, gritar e berrar! Oh… oh… oh! Pensem só: eu posso andar… andar… Andar! *E não me importo de estar aqui faz dez meses, e, de todo modo, eu não perdi o casamento. Foi bem típico da senhora, tia Polly, vir até aqui e se casar ao lado da minha cama, para que eu pudesse vê-la. A senhora sempre pensa nas coisas que deixam a gente mais contente!*

Dentro em breve eu vou voltar para casa, dizem eles. Queria poder ir andando até aí. Queria mesmo. Eu acho que nunca mais vou querer ir de coche para parte alguma. Vai ser bom demais apenas caminhar. Ah, estou tão contente! Contente por tudo. Ora, agora fico contente por ter perdido o uso das pernas por um tempo, pois a gente só entende como as pernas são adoráveis depois de perdê-las... de perder o movimento delas, digo. Amanhã vou dar oito passos.

Com muito amor para todos,

Poliana